JN091737

桐光学園大学訪問授業

高校生と考える21世紀の突破口

危機の時代の必須教養

左右社

高校生と考える　21世紀の突破口／桐光学園大学訪問授業

第4章

言葉と想像力を鍛える

第5章

AIに代替されない思考法

第6章

自然科学で人間をみつめる

はじめに

桐光学園中学高等学校校長　中野浩

この企画は、各分野で顕著な活躍をされている先生方をお招きし、本校の生徒に講義していただく、というものです。講師の選考において、著作があるということはとても重要な要素です。選考に当たっての判断基準にもなり、講演の事前・事後において生徒たちが読むこともできます。新聞や雑誌、書籍等の様々なメディアを通して気になったひとを手帳にメモします。著作を少なくとも一冊は読み、中学生・高校生に刺激を与えてくれそうなひとをピックアップします。出版社の担当者に連絡先を調べてもらい、交渉に当たります。四月から一二月までの九ヶ月間で二十回前後の講演を実施するので、人選から交渉は、一月から三月にかけて行います。この企画を始めた当初は、二十人前後の講演者を決定するのに百名前後のひとたちに声をかけなければいけませんでした。企画が浸透するにつれ、今では、快く引き受けていただけるようになりました。この企画を実施するに当たって、自分に一つのノルマを課すことにしました。それは、講演日までに講演者の著作をすべて読む、という無謀なものでした。二、三十冊の著作があるひともかなりいましたし、なかには、百冊を超えるひともいました。なぜこのようなノルマを課すことにしたのか。理由は二つあります。一つは、講演者に対するリスペクトです。自ら人選したひとたちに対する敬意をこのような形で表したかったのです。二つ目の理由は、少しばかり気味の悪い話に聞こえそうですが、著作をすべて読むことで、そのひとが自分に乗り移ったかのように感じられるからです。こんなとき、あのひとだったらどのように対応するのだろうか、どのように考えるだろうか、とあれこれと想像します。おそらくその想像はかなり的外れなものでしょう。それでも、そのひとになりきって考えることにこの上ない喜びを感じ、そうすることで自分の世界が豊かになっていくことを実感できることも確かです。先生方に感謝申し上げます。

第1章

答えのない世界で他者とつながる

「わからない」旅にでよう

田中真知

みなさんは、何かを「わかる」とは勉強して知識を得たり、評価されたりすることだと学校で教わっていると思います。でも、それが「わかる」ことだと思っていると、わからないことがかえってどんどん増えていきませんか。あるいは、スマホで検索してわかったつもりになり、本当のところは何もわからない、ということはありませんか。自分自身についても同じです。自分のことを誰もわかってくれないと思うことがあるでしょう。でも、人間が人間のことさえも「わからない」のは当然なのです。

私たちはどんな物事もごく一面でしか「わかる」ことができません。自分のことですら、環境や場所、状況が変われば全てがらっと変わってしまうこともあります。たとえば、自分は背が高いと思っていても、北欧に行ったら背が低いひとになるし、自分は勉強ができないと思っていても、識字率が五〇パーセントの国に行ったら、突然文字をすらすらと読めるすごいひとになってしまう。

そういう経験をすると、本当に「わかる」とはどういうことか、よくわから

たなか・まち＝作家、あひる商会CEO、立教大学講師。一九六〇年、東京都生まれ。慶應義塾大学経済学部卒業後、科学ライター等を経て九〇～九七年までエジプトに在住。アフリカ、中東各地をはじめ世界各地を旅行し、そこでの旅や体験を綴った著作を多数出版。二〇一六年、コンゴ河を渡る二度の旅を描いた『たまたまザイール、またコンゴ』で斎藤茂太賞特別賞を受賞。主な著書に『孤独な鳥はやさしく歌う』『美しいをさがす旅にでよう』『旅立つには最高の日』など。

なくなりました。そう考えるようになったきっかけが「旅」でした。

「世界は「わからない」ことで動いている」

大学時代にヨーロッパを旅行したとき、スペインからジブラルタル海峡を渡って、当時ガイドブックもなかったモロッコに行ってみました。一九八〇年代初めのことです。

到着すると、バックパックを背負った私に、たくさんの現地のひとたちが話しかけてきます。そのうちの一人が「私は教師だ。ぜひ家族に君を紹介したい」といって家族の写真を見せてくれました。親切で信用できそうなひとに見えました。私は「じつはまだ両替していなくてモロッコのお金がない」というと、そのひとは「私が両替してあげよう。ちょっと待っていなさい」といいました。ところが待てど暮らせど、そのひとは戻ってきません。別のひとに事情を話すと「お前は騙されたんだ」といわれました。初めて会った人間を騙すなんて、と私は衝撃を受けました。

結局その日は、騙されていると教えてくれたひとの家に泊まりました。親切なひとだと思いました。翌日、彼は色々な所に案内してくれました。

ところが、連れて行かれる食堂の料理がとても高いのです。物価が安いと聞いていたのにシンプルなチキンの料理が日本より高い。「どうしてこんなに高いんだ?」と聞くと、「モロッコではニワトリはサハラ砂漠を何日もかけて旅して捕まえてくる。だからとても高価なんだ」といわれました。なるほど、と納得してお金を払いました。

でも、あとから考えると、砂漠にニワトリがいるわけありません。騙されたと知った私はショックを受けました。これまで親や学校から何を学んできたのだろう。本を読んだり、ひとの話を聞いたりしているだけでは、世界を知っていることにはならないのだと気づきました。日本では常識とか当たり前とされている、さまざまな思い込みがこわされないと見えないことがある。旅とは「世界はこういうものだ」という思い込みを確認する場ではなく、思い込みから自由になって「わからない世界」を広げていくことだと気づきました。それ以来、私は旅をするようになりました。

「思いつきで決めたザイール(コンゴ)への旅」

これまでで一番印象深かったのは、アフリカのザイール、現在のコンゴへの二度にわたる旅です。

一度目の旅は三十歳のときです。当時私は結婚したばかりの妻とエジプトに住んでいました。ところが湾岸戦争が起きて、多くの外国人たちがエジプトをあとにしました。戦火が及ぶことはありませんでしたが、この機会にアフリカ

▼ザイール
一九七一〜九七年まで存続したザイール共和国(現コンゴ民主共和国)のこと。六五年にクーデターで実権を掌握したモブツ・セセ・ココ大統領による独裁体制だったが、九七年、第一次コンゴ戦争により政権が崩壊し、現在の国名となる。

▼コンゴ
ここでは、コンゴ民主共和国(旧ザイール共和国)を指す。

を旅しようと思いました。さて、どこを旅しようかと考えたとき、偶然、ザイール（現コンゴ民主共和国）という国を旅したことのある方に出会い、そのひとの話がとても面白かったので行ってみたくなりました。

ザイールについては知識も情報もありません。アフリカ大陸のほぼ中央に位置し、大きな河とジャングルに覆われているくらいしか知りません。エジプトという砂漠の国に暮らしていたので、緑豊かなジャングルを旅したり、大きな河を下ったりする旅をしたら楽しいだろうなあという思いつきでした。

しかし、ザイールは、当時、旅行者のあいだでアフリカで旅するのがもっともハードだといわれていた国でもありました。でも、インターネットもない時代でしたから、正確なところはよくわかりません。まあなんとかなるだろうと軽い気持ちで出かけました。

ところが、現地に着いたら、なんとかならないことのほうがはるかに多かった（笑）。

着いたときは乾季だったにもかかわらず、雨季に降った雨のせいで、道が深くえぐれているのです。それもトラックがすっぽり埋まってしまうほどの深さです（**写真1**）。ジャングルをぬける道路は一本しかないので、そこを通るほかありません。交通手段は物資を輸送するトラックです。荷台にいっぱいに積まれた積み荷の上に二、三十人が乗っかる。道が悪いのでスピードは出せず、しかも大きく揺れます。なんども転倒しそうになるので、私も妻も気が気ではな

中部アフリカに位置、コンゴ川流域に広がる共和制国家で、アマゾンに次ぐ熱帯雨林を抱える。首都はキンシャサ特別州。一六世紀にポルトガルに征服され、一九世紀にベルギー領の植民地となったのち数度の国体の変更を経て、一九七一年にザイール共和国、九七年に現在の国名へと改称した。

▼湾岸戦争
一九九〇年八月二日、イラクによるクウェート侵攻をきっかけとした戦争。国連による撤退要求と経済制裁のほか、アメリカ・西ヨーロッパのＮＡＴＯ同盟国はサウジアラビアに部隊を派遣し、エジプトなども反イラク連合に加わった。これらアメリカ軍を中核とする多国籍軍は九一年一月から空爆、二月からは地上戦も開始し、イラク軍は敗走。イラクは国連安保理の停戦決議を受諾、九一年三月に停戦協定が締結された。

く、緊張していました。ところが、現地のひとたちを見ると、そうでもない。トラックが倒れそうになると、「ハレルヤー」とみんなで歌をうたい、互いに勇気づけ合ったり、怖くなって荷台から飛び降りた者をからかって大笑いしたりしています。どんな状況でも、それを笑いや楽しさに転換していく現地のひとたちのパワーに圧倒されました。

トラックの旅を終えた私たちはアマゾンに次ぐ流域面積を誇るザイール河▼（現コンゴ河）上流の町にたどり着きました。そこから大きな船で数日下った町で、私たちは丸木舟を手に入れました。ザイールの話をしてくれた旅行者が丸木舟で旅をしたと話していたので、それなら私たちもという軽い気持ちでした。

昼間は舟に乗り、二人で漕いで日が暮れたら河辺の村にテントを張って泊めさせてもらう。こう聞くととてものんびりとした、ロマンチックな旅に聞こえるかもしれません。でも、全然そうではありませんでした。

最初の試練は蚊でした。夜になると蚊の大群がやってくるのです。テントのなかにいても、蚊の羽音がスタジアムの歓声のようにうなっているのがきこえるほどです。絶対にテントの外には出たくありません。でも、そんなときにかぎってお腹をこわしていました。観念して、外に出て、殺到する蚊の大群に殺虫剤を噴霧しながら用を足し、テントに戻りました。それが旅の初日でした。

なんて馬鹿な旅を始めたんだろうと、私は猛烈に後悔しました。しかし、旅を中断するわけにはいきません。戻るには河を遡らないといけないのですが、

▼写真1

▼ザイール河
ザイール共和国における、コンゴ川の呼称。中部アフリカのコンゴ盆地を蛇行しながら流れて大西洋に至る四七〇〇キロメートル近くの河川で、アフリカ大陸では二番目の長さを誇る。

私も妻も丸木舟を漕ぐのは初めてなので遡る技量もない。かといって、下流の大きな町は六〇〇キロ以上先です。私たちのペースだと一ヶ月くらいかかります。こんな旅をあと一ヶ月！　私は暗澹たる思いになりました。「もうやめた！」と挫折することさえできないのです。あきらめて旅をつづけるしかないのです。こうして丸木舟の旅が始まりました。

ザイール河は幅がとても広く、流れはとても穏やかでした。色々な村に立ち寄りましたが、いきなり訪ねても追い返されることはありませんでした。テントを張るのに適した場所や、水浴びの場所などを親切に教えてくれました。一方で、薬をくれといわれたり、病人のところへ案内されたりすることもよくありました。町まで何日もかかる村の暮らしでは、病気になっても治療も受けられません。日本ならかんたんに治療できるような病気が、ここでは命とりになります。

旅のペースができてくるにつれて、ここのひとたちは一見しただけではわからない、さまざまな脅威のなかで暮らしていることが見えてきました。にもかかわらず、多くの人びとは活力に満ちていました。生きることに懸命だと、悩んだり、落ち込んだりしている暇がないのかもしれません。

一ヶ月近い河の旅を終えたときは二人とも赤道の陽射しに灼かれて全身真っ黒でした。旅のあいだに、妻はマラリアやアメーバ赤痢などにかかりました。私も肉体的・精神的にひどく消耗しました。こんなにたいへんだとわかっていたら、けっしてザイールを旅しようなどとは思わなかったでしょう。でも、わからなかったからこそ、こんな思いも寄らない経験ができたのも事実です。わからない、というのは新しい経験を導いてくれるのです。丸木舟の旅を終えたとき、こんな旅をすることはもう二度とないだろうと思いました。

「もう一度コンゴへ」

ところが二十年後、そんな思いを味わったコンゴに、私はもう一度旅をすることになります。

私たちが最初の旅をした後、▼大統領がクーデターで国を追われ、ザイールはコンゴ民主共和国へと名前が変わっていました。その後、コンゴは鉱物資源の利権などをめぐって周辺諸国を巻き込んだ長い戦争の舞台となりました。二〇〇〇年代後半になって政情が少し落ち着いたと聞き、二十年前に行ったあの場所はどうなっているんだろうと興味が湧いてきました。その数年後、仕事でアフリカに行く機会がありました。ふと、その足でいまのコンゴを訪れてみたらどうだろうと思いつきました。「ちょっと様子が見られれば」というくらいの気持ちでした。

ところが、首都キンシャサで、シンゴ君という一人の大学院生に出会ったことで状況が変わりました。彼は大学のプロジェクトでコンゴ人学生に日本語を

▼大統領がクーデターで国を追われ
アフリカの民主化やルワンダ紛争の影響の下、九六年四月、国内のツチ系小集団バニャムレンゲをザイール共和国政府軍が攻撃したことに端を発し、周辺諸国に支援されたバニャムレンゲやコンゴ・ザイール解放民主勢力連合が反撃、アンゴラが出兵・首都キンシャサを制圧して七一～九七年までほぼ全期間大統領を務めたモブツ・セセ・コ

教えていました。そのシンゴ君が「コンゴ国内を旅したいけど、一人だと不安だ」というので、「それならいっしょに行かない?」というと、彼が「面白そうですねえ」と乗り気になりました。こうして思いがけず話が進み、ふたたびコンゴ河を下る旅をすることになりました。

旅は前回と同じ場所、河の上流の町から始めました。そこで偶然、かつて船の手配など旅行者の世話をしていたオギーというコンゴ人男性と知り合いました。オギーは旅行者と会うのは何年ぶりだろうと、とても喜んでくれました。

オギーに旅の相談をすると、丸木舟の旅をするならいっしょに行こうといってくれました。こうして私、シンゴ君、オギー、オギーの相棒の四人で、前と同じルートをたどる、二度目のコンゴ河の旅が始まりました。

二十年前と大きく変わったのは、戦争の影響で警察や兵士たちのチェックポイントがたくさんあったことです。外国人が来ると、スパイじゃないかとか、カメラは禁止されているとか、いろいろな名目でお金をせびられました。給料がまともに払われていないためです。検問にあわないよう早朝こっそり出発したり、何かいわれたら冗談で返したりしながら突破しました。途中からは「この先は丸木舟だと危険なので普通の船をヒッチハイクしたほうがいい」というオギーの提案で、河沿いの小さな町で船を待つことにしました。といっても船がいつ来るかはわかりません。

町は小さくネットも通じません。でも、その間に、オギーは私が持っている

コ政権が崩壊した第一次コンゴ戦争を指す。その後、ザイール共和国は国名をコンゴ民主共和国に変更。政府はツチ系が政権を握るルワンダなどの影響力が強まることを恐れてツチ系の排除を始め、九八年、ウガンダとルワンダが支援する反政府勢力と、ジンバブエ、ナミビアなどが支援する政府軍による第二次コンゴ戦争に発展。これによる虐殺、病、飢えにより、五〜六〇〇万人が死亡したとされる。著者が訪れた二〇〇五〜〇六年は和平合意が進み、国民投票による新憲法が発効や選挙などが実施されていたが、戦争の傷跡は深く、依然武装勢力の活動も続いている状況だった。

パソコンに興味をもちました。インターネットの仕組みについて説明すると、オギーは感動したようでした。「自分はこれまで小さな村に埋もれて窓がない場所で生きていた気がする。でも、インターネットがあれば窓の外の世界を見ることができる」と彼はいいました。

それからオギーは紙にキーボードの絵を描いて、それを打つ練習をはじめました。聡明なオギーは数日でアルファベットの配列をマスターし、一週間もするころには、私のパソコンで簡単な文章も打てるようになりました。

ところが、肝心の船はいっこうに来ません。いつ来るかもわかりません。時刻表があるわけでもないので、ただ待ち続けるしかありません。

アフリカの旅に求められる「待つ力」

ようやく船がやってきたのは二週間後でした。いくつかのはしけをつないだ物資輸送船でした(**写真2**)。すでに大勢の人たちがはしけや動力船の甲板に乗っていました。

前回の旅でもこういう船に乗りました。そのときは乗っているのは人間だけではありませんでした。燻製にされたサル、生きたイモムシ、ブタ、ニワトリ、ワニまで乗っていました。サル以外はみな生きたままです。取っ手につながれたワニをまたがなければトイレに行けないなんて冗談みたいでした。この船が通ると、近くの村からいっせいに丸木舟が船に向かってきます。丸木舟には森でとれた獲物が積まれていて、それらを船上のマーケットで取引します。ワニやサルやブタもそうやって船に持ち込まれた品でした。

船は予定どおりには進みません。途中の村に停まって、そのまま何日も動かなくなるという謎の停泊がかならずあります。誰に聞いてもいつ動くかわからない。船長に聞いてもわからない。一週間がたちました。

ビザの期限の問題もあるので、なにか手段はないかと探していたら三日で首都に着く高速船があると知り、そっちに乗り換えることにしました。ところが、この船も途中で止まってしまいました。そのころには、わからないことにも、あまりイライラしなくなっていました。現地のひとたちの感覚が少しわかるような気がしました。

船を待っていたときもそうでしたが、アフリカの旅は移動している時間より、待っている時間のほうが長いのです。だからいやおうなく「待つ力」が求められます。現地のひとたちを見ていると、この待つ力、待つことに対する耐性がとても強いと感じます。それは、いいかえれば待っているあいだにできることを探すことに巧みなのです。

オギーは待つあいだにキーボード配列をマスターしました。船の乗客たちは、DVDでプロレスやカンフー映画を観たり、市場で仕入れたものを船で売ったり、えんえんとおしゃべりしたり、河を眺めていたり、さまざまに待つ時間

▼写真2

を満喫していて退屈している様子はありません。時間つぶしではなく、時間を味わっているという感じなのです。これはアフリカの旅だけではなく、人生においても大切なことだと思います。

これ（**写真3**）は私とシンゴ君が高速船に乗っていたときになにげなく撮った写真です。旅をはじめて二ヶ月くらいたっていました。疲れ切って、「もうどうでもいい」という表情をしていますね。撮った写真を見て、二人ともひどい顔だと思い、笑顔で撮り直しました（笑）（**写真4**）。実際は、ボーゼンとして、途方に暮れながら旅をしていたのです。

でも、夕暮れになると、河の風景が本当にとても美しいんです（**写真5**）。あらゆることが支離滅裂で、ありえないことばかりが起こるけれど、夕暮れの河の風景を見ると、この素晴らしい夕日に免じて何もかも許せそうな気がしてくる。そういう毎日の繰り返しでした。こうして二ヶ月半ほどかかってようやく首都に着き、二度目の旅が終わりました。

「偶然と突然を、自分の必然に変えること」

この旅で、いろいろなことが変わりました。オギーの生活も、私の生活も、シンゴ君の生活も。シンゴ君はアフリカ文化に興味をもち、京都大学の大学院に入って文化人類学を学び、コンゴをフィールドに研究をしています。オギー

▼写真3

▼写真4

はシンゴ君のアシスタントをすることもあります。シンゴ君は調査地のひとたちと協力して、戦争で壊れた橋をつくりなおす仕事を手伝ったりもしています。旅には、こういう力があります。

後日談ですが、大晦日にテレビを観ていたら、オギーの住む村が紹介されていました。その中で、オギーが村のベテラン漁師として紹介されるのを見て、びっくりしました。オギーは漁師ではありません。でも番組の中で、オギーはベテラン漁師になりきって村の神話について堂々と語っていました。それは「やらせ」ではないかと思われるかもしれませんが、私は、「オギーすごい、さすがだなあ」と思って見ていました。これが人間の生きる力なんです。その場その場の環境のなかで臨機応変に自分の役割を見出す、これはアフリカの人びと全般にいえるしなやかな生き方だとも思います。

▼写真5

私は、楽しい旅には二つあると思っています。一つは、計画通り、思い通りに進む旅。もう一つは、全然自分の思い通りにならない、想像もしていなかったことが起こる旅。どちらも旅の楽しみですが、どちらが人生の糧や力になるかといわれたら、まちがいなく思い通りにならなかった旅のほうだと思います。それこそが自分という小さな殻を壊して、世界の広さや深さを教えてくれるからです。

アフリカの旅では、思い通りになることはほとんどありません。だからこそ、私はアフリカの旅が好きなのです。「旅して世界は狭いと感じた」とか「旅をして自分が一回り大きくなった」という人もいます。でも、私はそうは思いません。旅をすればするほど自分が小さくなって、世界のほうが広くなる。こんなにも自分はなにも知らなくて、こんなにも世界は豊かなのか、自分の小さな思いなどにけっして収まらないほど世界は広いのかと感じることこそが、私にとっての旅の面白さです。

今回お話ししたコンゴの旅についての本『たまたまザイール、またコンゴ』のなかに「世界は偶然と突然でできている」という言葉が出てきます。それは私の実感です。世界のあらゆるものは偶然がつながりあってできています。さらに、そういう偶然はいつやってくるかはわかりません。突然や偶然を見逃さず、自分にとっての必然に変えていく。それが生きるということだと思います。みなさんも、これからいろんなところへ旅をすると思います。旅で起こる思いも寄らない偶然を楽しめるようになってくれるとうれしいです。そういう力がつくと、人生で起きるさまざまなことを自分の糧にできるようになると思います。

Q&A

——情報がないなかでアフリカに行ったとおっしゃっていましたが、言葉などはどうしたのですか?

コンゴではフランス語と英語が少し通じましたが、私はフランス語は大学で学んだ程度で多少日常会話ができるくらいです。また、コンゴでは現地語のリンガラ語しか喋れないひとも結構います。

言葉を身につけるには、現地に行くのが一番です。二度目の旅に同行したシンゴ君はフランス語は喋れませんでしたが、リンガラ語ができました。ストリートで現地のひととやりとりするうちに、なんとなくわかるようになったのだそうです。また、私は以前エジプトに住んでいましたが、住む前はアラビア語が全然わかりませんでした。でも現地に行くと、交渉をするときなどに使えないと騙されるから、否応なく覚えました。わからないと生きていけない、と切実に感じれば、それに応じたレベルの会話くらいはできるようになるものです。

ただ、言葉は使えるにこしたことはありませんが、必ずしもそれが全てというわけではありません。言葉がわかるからといって「コミュニケーション」できるとは限りませんからね。

わたしの思い出の授業、思い出の先生

Q1：思い出の授業を教えてください
Q2：その授業が記憶に残っている理由はなんですか?
Q3：その授業は人生を変えましたか?

高校のときの漢文の授業です。担当の先生がユニークで、白居易の「長恨歌」をすべて暗唱できた者には試験は免除で、成績はもれなく10（最高点）をくれるといいました。長恨歌は唐の玄宗皇帝と楊貴妃のロマンスを歌った長大な漢詩です。私は暗唱できる自信がなかったので試験を受けたのですが、漢文の苦手な生徒の多くが暗唱に臨み、10を獲得しました。

いまになると、自分も暗唱組になればよかったと思います。授業を覚えている人はほとんどいなくても、長恨歌に挑んだ生徒は、その一節くらいはいまも暗唱できるでしょう。暗唱に励んだ教室の風景なども思い出せるでしょう。なにより、当時は意味などわからなくても、年をとり、経験を重ねるうちに、しみじみとその深い味わいがわかるようになるものです。漢文の先生はきっとそのことをわかっていて、あのような授業をされたのだと思います。

わたしの仕事をもっと知るための3冊

田中真知『たまたまザイール、またコンゴ』（偕成社）
田中真知『旅立つには最高の日』（三省堂）
田中真知『増補　へんな毒　すごい毒』（ちくま文庫）

わかりあえなさをつなぐ言葉たち

ドミニク・チェン

どみにく・ちぇん＝情報学研究者。一九八一年生まれ。NTTインターコミュニケーションセンター［ICC］研究員、株式会社ディヴィデュアル共同創業者を経て、早稲田大学文化構想学部教授。テクノロジーと人間の関係性を研究している。主な著書に『未来をつくる言葉』など。

今日は、僕がこれまで、つくったり研究したりしてきたものを紹介しながら、「言葉」というものを通して、僕たち人間の関係性について考えていきたいと思います。

僕は普段、早稲田大学で発酵メディア研究ゼミをやっています。「発酵」というものを一つの比喩として使い、みなさんが使っているスマホやSNSなどの「メディア」を通して、人間の人生や関係性を発酵させていくにはどうすればいいかを考えています。こういうふうに説明すると「一体何のゼミなんだろう」と思うかもしれないですが、一言でいえば、「自分たちの未来を自分でつくるための道具をつくる研究」をしています。

人間とテクノロジーの関係性

「未来」と聞くと、みなさんどういうイメージを抱きますか。向こうからやってくるのを受け入れるイメージですか。それとも、自分で切り拓いていくイメージですか。

どちらも正解ですが、やっぱりただ受け身でいるより、自分で望む未来に向かっていきたいですよね。そのために僕たちは道具をつくって、身の回りのコミュニケーションの方法を自分たちで考えてみようとしています。

道具をつくるための方法として、僕はずっとテクノロジーというものを研究してきました。テクノロジーというのは、スマホやコンピュータ、インターネットなどのことです。二十年ほど前は、テクノロジーと人間の関係性には希望しかありませんでした。インターネットが世界中に広がることで人類はどんどん進化していって、みんな幸せになると信じて疑わなかった。

ですが、ふたを開けてみたら、じつはそんなに夢物語だけじゃないということがわかってきた。たとえば、世界中で問題になっているスマホ中毒もその一つですね。みんなSNSを使っているんだけど、本当は使いたくない。好きなんだけど嫌い、とかね。SNSのなかでの人間関係に疲れる人もいる。テクノロジーによって人間は、いい方向に変われるはずなんだけれども、同時に望まない方向にも変わっていってしまう。

そういうお花畑だけじゃない世界が前提にあるんだけれど、それでもテクノロジーを使ってもっと面白いコミュニケーションを考えられないだろうか。これが、僕のずっと考えていることです。

「わかりあえなさをつなぐ」

自分の生まれのこともあって、言葉について子供のころからずっと考えてきました。言葉でのコミュニケーションの根底には「わかりあえなさ」があると思うんです。わかりあえると思える瞬間もあるんだけれども、基本的にはわかりあえていないという思いがある。それはなぜか。

僕は日本生まれなのですが、フランス国籍です。僕の父親は、ベトナムと台湾のハーフで、母は日本人。ですが、父がフランスに国籍を変えたため、フランス人になりました。つまり今、私はフランス国籍の外国人として日本に住んでいるわけです。

僕がいた幼稚園には当時五十五ほどの国からいろんな子供たちが通っていました。一応フランス語が公用語だけれど、知らない言葉が渦巻いているんです。中国語も聞こえてくればアラビア語も聞こえてくる。自分の知らない言葉が渦巻いている場所で育ち、そこでフランス語と日本語を覚えました。

こうした環境にいたことで、僕は「言葉はスイッチできるんだ」ということに気づきました。日本語でうまく言えなかったらフランス語で言えばいいんだと。すると今度は、日本語にはあるけれどフランス語にはない言葉や、その逆もたくさんあるということもわかったんですね。言葉で完璧になにかを表現するのはおそらく不可能なんだと思い至ったんです。

日本語でいくら説明したつもりになっても、フランス語に翻訳してみると日本語とは違う意味合いが含まれてしまうし、言い切れない。その逆も同じ。でもこれは決してネガティブなことじゃなくて、そのわかりあえなさが面白いんじゃないかと。

僕はなぜかしょっちゅうひとに道を聞かれるんですよ。この前も、東京で散歩していたときに欧米の方から「東京タワーはどこですか」と英語で尋ねられました。ロサンゼルスに五年間住んでいたので、ロサンゼルス訛りの英語で返答すると、彼はすごくガッカリした様子でした。おそらく彼は片言の英語を期待していたんですね。英語の通じない人とコミュニケーションしたかったんです。だけど、普通に英語で返されてしまって、落胆の表情を浮かべたというわけです。気持ちはすごくよくわかる。

僕自身も、モンゴルに行ったときに英語も日本語も通じなくて、ボディランゲージでコミュニケーションを取ろうとしました。不安のなかでコミュニケーションするときのほうがお互いについての想像力が働いて、活き活きとしたんですね。こういう感覚って、僕のような多言語話者にとっては「あるある」話なんです。言葉ごとの世界があるんだと思うんです。たとえばフランス語というものが一つの世界になっていて、フランス語のなかでしか感じられないものがある。それは日本語の場合も英語の場合でもそうです。

以前、こうした多言語の世界に浸る面白さを表すインスタレーションを企画しました。Google翻訳というアプリをつくっているひとたちと一緒に、Google翻訳で出てくる言葉を使って多言語のシャワーを浴びるというコンセプトです。真っ暗な空間の中に入ると複数のスクリーンがあり、真ん中にあるマイクに向かって話すと、瞬時に二十三ヶ国語の音に翻訳された音声が出てくる仕組みです。Google翻訳って一般的な使い方だと日本語から英語のように二言語間でやると思うんですけど、この企画では同時に二十三ヶ国語の翻訳をすることができます。

自分が発した言葉を自分の知らない響きで聞くと、全然知らない言葉の世界があることを肌で感じられます。

▼Google翻訳
Googleが提供する翻訳アプリ。テキストを他言語に翻訳するサービスで、文章の言語識別や、入力した文字を即座に反映させるリアルタイム翻訳、音声入力の機能をもつ。

ぬか床の微生物と話す

最近ついに人間では飽き足らず、人間以外のものと会話したいと思うようになってしまいました。みなさんはぬか床って見たことありますか。米ぬかというお米を精米するときに出る削りカスがあるんですが、その米ぬかと水と塩を

▼ぬか床
玄米を精米するときに出る米の外皮である米ぬかに、水や塩を加えて混ぜ合わせたもの。乳酸菌や酵母などの微生物が増殖を繰り返すことで、うまみ成分がたくさん生まれる。

混ぜて、そのなかに野菜をつけると乳酸菌が入ってきて美味しい漬物をつくれるんですね。

あるとき、一緒に会社をつくったパートナーの遠藤拓己さんからタッパーを渡されたんです。タッパーのなかには米ぬかが入っていて、「これはうちに三十年間伝わる秘蔵のぬか床だ」というんですよ。試しにそれにきゅうりを漬けて食べてみたら、漬物ってこんなにおいしいのかとびっくりしました。それから十年ぐらいは、個人的な趣味として漬物をやっていたんですけど、あるときぬかを放置してしまって腐らせてしまったことがありました。腐らせると全部捨てなきゃいけないんですけど、そのときにすごい喪失感を抱いて、ペットロスみたいな気持ちになったんです。このときに、目に見えない微生物たちとこれほど情緒的につながれる感覚が面白いなと思って、ぬか床の中の生き物たちと話ができるといいんじゃないかとひらめきました。

それで仲間たちとつくり始めたのが、「Nukabot」（**図1**）という喋るぬか床です。センサーがたくさんついていて、質問すると、いまのぬかの状態を計算して「いまいい感じで発酵してるよ」とか「ちょっと腐りそうだから早くかき混ぜて」とか、答えてくれる。さらに、そろそろかき混ぜないと危ないときにはキッチンの奥から「そろそろかき混ぜて欲しい」と勝手にひとりで叫んでくれる。そんなロボットをつくったんです。

これは単なる便利なおしゃべりロボットをつくりたかったわけではありませ

▼図1　Nukabot

"Nukabot" by Ferment Media Research（撮影：関谷直仕）

ん。おしゃべりロボットをつくるだけなら、自動でかき混ぜられる設計にしたでしょう。でも、そうしなかったのは、目に見えないぬか床の微生物たちに愛着をもてるようにしたかったからです。ぬか床を日々かき混ぜるという行為を通して、そのなかに住んでいる微生物たちの存在や気配を感じられるようになるような、人間が変わるためのデバイスとしてつくっているんです。

相手を慈しむ言葉

僕が取り組んでいるもうひとつのプロジェクト、「10分遺言」（**図2**）の話をしましょう。この企画は、自分の最後の言葉を想像し、十分以内に打ち込んでもらう。それをたくさんの人から集めてみんなで眺めてみるというものです。二〇一九年にあいちトリエンナーレという国際芸術祭があって、そこで遠藤さんと作ったインスタレーション作品です。

空間のなかに二十四台のディスプレイがあり、ディスプレイに映っているのはそれぞれのひとたちが書いた最後の言葉です。期間中に二千百件以上もの遺言が集まり、この二十四台のディスプレイに分散して表示させました。真ん中にキーボードと一台のパソコンがあり、映像と連動して、実際に打ち込んだときと同じようにキーボードが動く仕組みです。たとえるならば、自動ピアノのキーボード版のようなものですね。そうすることで、書いた人は居ないんだけ

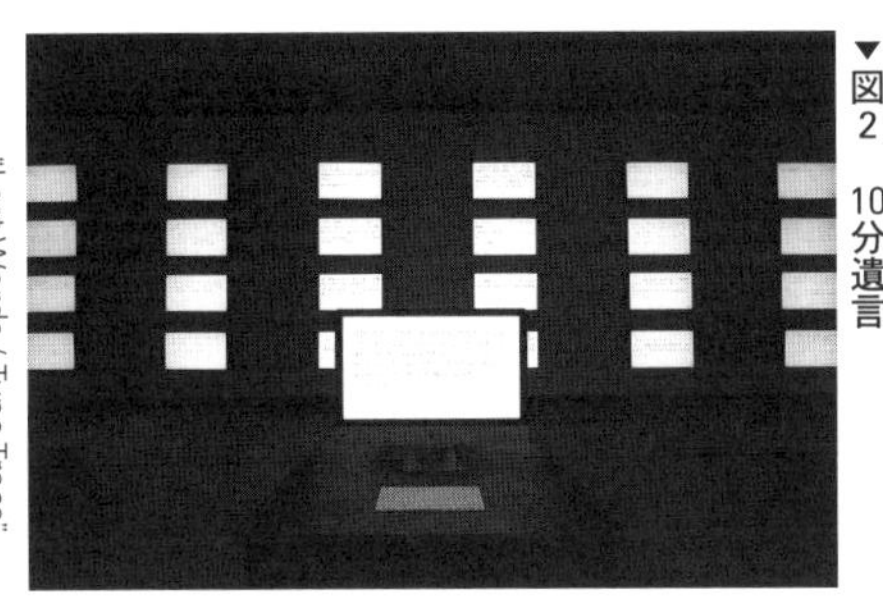

▼**図2　10分遺言**

"Last Words / Type Trace" by dividual inc.（©Aichi Triennale 2019 Photo: Shun Sato）

れど、まるでその場に降り立って打っているかのような、その人の気配みたいなものが感じられるんです。

「10分遺言」は、自分の子どもに遺言を書いてみたことがきっかけで作ることになりました。僕は、大きな病気や怪我をしたことがないので、死に直面した経験はありません。そこで、もしも十分後に自分がこの世界からいなくなるとしたら、どういう言葉を自分の子どもに残すか想像してみたんです。

やってみるまでは軽い気持ちで考えていたんですが、いざやってみると自分自身にとっては初めての経験で、忘れられない十分間になりました。ひとは誰しもいつか死ぬわけだけれども、時間の有限性を考えて日々を生きるわけではない。でもこうして、死と向き合ってみると、たった十分間であっても相手との関係性を慈しむ感覚が生まれるものなんですね。この体験をもっと多くのひとと分かち合う場所をつくりたいと思って、このインスタレーションを作りました。

先ほどスマホ中毒の話をしましたが、SNS上には強い言葉が溢れています。マウンティングをしたり、自分の意見と対立する人を押し潰そうと論争みたいなことをする。論争自体はいいんだけども、勝つか負けるか競うような言葉の使い方や、そういうものを助長させる構造が出来上がっています。

それから、インスタ疲れ▼などといって、自分を良く見せるためにセルフィー▼を綺麗に撮れば撮るほど、現実との落差が生じて心が疲れてしまう。もしくは、

▼インスタ疲れ
インスタグラムは自分の投稿に反応してもらうことで承認欲求を満たすことができるが、同時に無意識に他人と比較してしまい、ストレスを感じる人が増えており、社会問題となっている。

▼セルフィー
自分を被写体として撮影すること。また、そうして撮った写真のこと。

タイムラインに流れてくるすごく美しい人たちと自分を比較してしまって、自分が不幸せなんじゃないかと感じてしまう。そういう強い刺激のある情報ばかりが広がってしまっている現状があります。

こんなふうに、SNS上では強い言葉が飛び交っているけれど、人間は本来、もっと弱い存在だと思うんです。「10分遺言」は、自分たちの弱さを素直に受け止めることができるものだと思います。

この展示は多くのひとたちに見てもらったんですが、そのなかでもある来場者のひとの意見がすごく面白かったので紹介します。そのひとは名古屋に住んでいて、美術館の近くで働いているひとだったんですけど、お昼休みになると必ずこの部屋にきて休憩をとっていたそうなんです。理由を聞くと、「この部屋にはタイプ音がずっと響いているからだ」と。「もちろん遺言というのは重いテーマだし、死について考えさせられる。でもタイプ音を聞いていると、これだけ多くの人が生きているんだっていうことを感じられるからすごく安心する」と、おっしゃったんですね。

書いた人の気配を、読んでいるほうが勝手に感じとってしまう。いま、目の前で語りかけられているような、不思議な感覚にさせられる。そういうテクノロジーと人間との距離感が、すごく面白いと思っています。コンピュータに頼りきるのではなく、人間が能動的に動く余地を残すことで、人と人の関係性をもっと大事にできるようになるんじゃないかと思うんです。

「対話」と「共話」

最後に、コミュニケーションについて、この数年ずっと考えていることをお伝えします。コミュニケーションから対話という言葉を連想するひとは多いと思います。一方僕は、対話とは違う話し方、「共話」（**図3**）について研究しています。

この図で示している通り、Aさんが喋っているあいだはBさんが黙って聞いている、Aさんが喋り終えるとBさんが話す。これが対話です。対話しているとAとBの違いが浮き彫りになります。対話とは、そういう会話の方法なんですね。どちらが発言したかが明確なので、たとえ似たような内容を話していたとしても、両者の人格がくっきりと出る。

それに対して、共話は少し違います。相槌を打ったり首を振ったり、相手が喋っているときに自分の声を重ねたり。もしくはフレーズを途中で切っていいっぱなしにすることで、相手がフレーズを拾って続きを話したり。つまり、共話とは、相手と一緒に会話をつくることです。現実には僕たちは、共話と対話をおり交ぜながら話し合っているんですが、共話で話すってことを意識してやっていると、本当に他愛のない話でも、相手と自分の心理的な距離を縮めることができます。自己と自己の重なりをつくるコミュニケーション方法なんです。

▼図3　共話

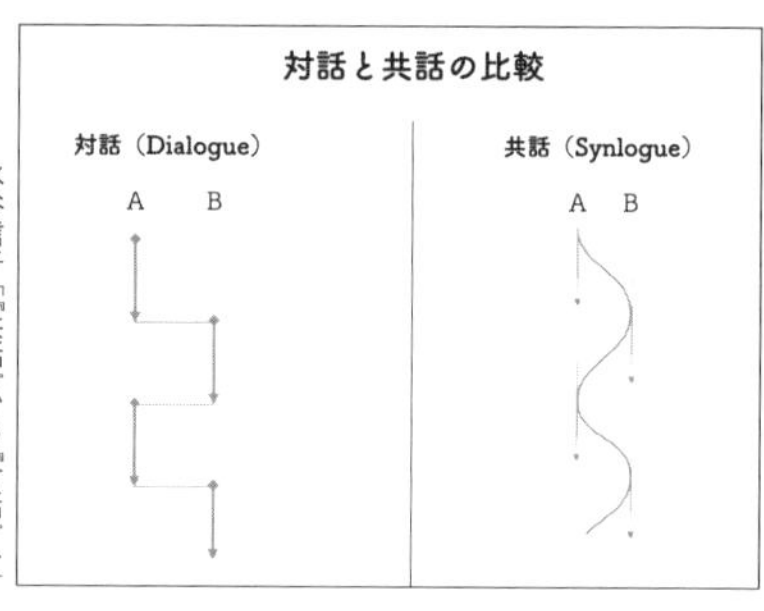

水谷信子『「共話」から『対話』へ』（一九九三年）と川田順造『口頭伝承論』（一九九二年）をもとにドミニク・チェン（二〇二〇年）が拡張

▼**水谷信子**
日本語教育学者、お茶の水女子大学・明海大学名誉教授。外国人留学生が日本語を習得する過程で共話が果たす重要性を考察した。相槌の作用についての研究でも知られる。

これは言語教育学者の水谷信子先生▼が提唱していてすごく共感したんですけど、とくに日本語の会話には共話が多いといわれています。

共話をしていると、「私とあなた」「私とそれ以外」というふうに切り分けるんじゃなくて、「私たち」としかいいようのない感覚が生まれてきます。縁側（**図4**）は家の内側でも外側でもない場所にあるところに面白さがあります。内のひとはもちろん、外のひともそこに上がれる。縁側に内と外のひとたちが一緒に座って、仲間になる。「仲間になる場所＝縁になる側」という考え方なんです。これは人間関係に置き換えられます。通常は、内と外に分けるように自分と他者を切り離して考えますが、共話をしているときには、その壁がなくなり縁側的な関係性が築けるわけです。

僕も、「今日は共話で話しましょう」と決めて話したトークイベントで、話が面白くなってどんどん掛け合いになっていく感覚を味わいました。でも、ふたりともどっちが何をいったかはよく覚えていないんです。こんな話が出たというのは覚えているんだけど、どっちがいったのかは忘れている。でもすごく楽しくて、二人で一緒にその場をつくっていった感覚だけがある。

言葉というのは、関係性をつくる道具です。私たちのなかにはいろんなものが渦巻いていて、言葉になっている部分と、まだ言葉にならないモヤモヤしている部分、その二つをつなげるようにして自分の考えをまとめている。

僕たちはいま、自分と相手との関係性をつくるための道具を使っている。そ

▼**図4 縁側**

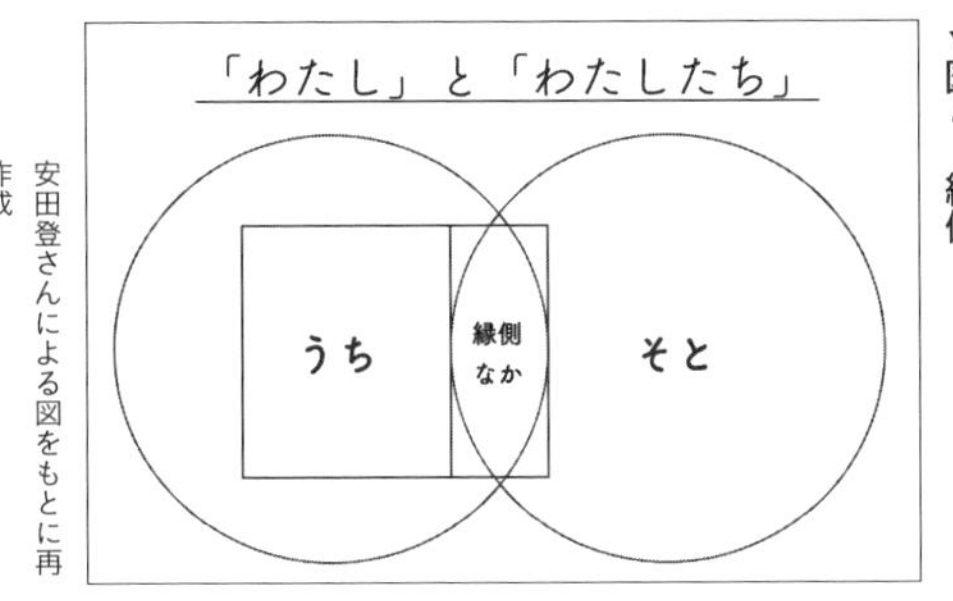

安田登さんによる図をもとに再作成

う意識できると、コミュニケーション自体をすごくミクロなレベルでデザインできるようになるはずです。少なくとも僕はそう信じて、いろんなものをつくっています。

Q&A

——高校一年生です。いま、グローバル社会のなかで、海外のひとがたくさん日本に集まってきていると思うのですが、そのひとたちと関わっていくなかで価値観の違いや文化の違いを超えて、心を通じ合わせるために大切なことはありますか。

先ほどお伝えしたように、異文化のひとと初めて会うときには、どうしてもわかりあえなさが立ちふさがります。そのときに、人間の本能だと思うんですけども、お互いの複雑な状態をシンプルに理解しようとしてしまいがちだと思うんです。そして、そこから偏見やバイアスが生まれる。「あなたは○○人だからこうなんでしょう」って思っていることをそのままいってしまうこともあれば、声に出さないまでも内心思っていることもある。

たとえば、僕は日本人コミュニティとフランス人コミュニティの狭間にいるので、フランス人から見たときの日本人に対する偏見もすごく聞かされたし、その逆もたくさんありました。十五歳のころにパリに行ったとき、「日本っていまもサムライがいるんでしょ」と真顔で聞かれることは日常茶飯事でした。

だから狭間に立っていた自分からすると、人間はみんな偏見をもってしまうものなんだなと思ったんです。僕自身も無意識に全然知らない国のひとを、スマホから得た情報だけで「こういうひとたちだよね」とステレオタイプに当てはめてしまっていて、旅をして初めて「こんなひともいるんだ」と衝撃を受ける経験をしたことがあります。

だから、海外からたくさんのひとが来たときに、「〇〇人だからこうだ」と決めつけずに、そのひと自身を見ることが、とても大事だと思います。相手に対して好奇心をもったら、きっと相手にも伝わるんですよね。自分に興味をもってくれているんだって。そう感じてくれたら、あなたともっと話がしたいと思うでしょう。

これってすごく自然で当たり前のことなんだけど、意外と忘れがちですよね。この一点だけ覚えておいてもらえるといいと思います。

わたしの思い出の授業、思い出の先生

Q1：思い出の授業を教えてください

高校3年生のときのプトトン先生の哲学の授業。

Q2：その授業が記憶に残っている理由はなんですか?

先人の考えを基に自分の考えを構築し、展開する面白さを教えてくれました。テストの論文には赤字でたくさん反応を書いてくれて、それが励みになりましたが、いま思えば赤字というのは生徒と教師の共話の場になりえますね。

Q3：その授業は人生を変えましたか?

いまでも、ものごとを学び、身につける基礎は高校3年の哲学の授業で学んだという実感があります。なにごとも楽しいと思えたら身につくということにも気づき、一生学び続けられるんだという持続的な喜びを教えてもらいました。

わたしの仕事をもっと知るための3冊

ドミニク・チェン『未来をつくる言葉——わかりあえなさをつなぐために』（新潮文庫）

ドミニク・チェン『コモンズとしての日本近代文学』（イースト・プレス）

ドミニク・チェンほか『情報環世界——身体とAIの間であそぶガイドブック』（NTT出版）

「はみだす」ことを学ぶために

松村圭一郎

まつむら・けいいちろう＝文化人類学者。一九七五年、熊本生まれ。岡山大学文学部准教授。東アフリカ・エチオピアの農村や中東の都市でフィールドワークを行い、富と所有と分配、貧困や開発援助、海外出稼ぎなどについて研究。主な著書に『所有と分配の人類学』（第三十七回澁澤賞、第三十回発展途上国研究奨励賞）、『うしろめたさの人類学』（第七十二回毎日出版文化賞特別賞）、『くらしのアナキズム』、『小さき者たちの』、編著に『文化人類学の思考法』などがある。

「人類学はどんな学問か」

中高生のみなさんにとって、文化人類学はあまり馴染みのある学問ではないかもしれません。でも文化人類学の基本となる考え方は、私たちが生きるうえでのヒントになりえるのではないかと思っています。

文化人類学とはどういった学問なのでしょうか。簡単にいうと、まず特徴的なのは「フィールドワーク」を重視するという点です。フィールドワークとは、研究対象とする地を訪れ、現地で直接観察したり話を聞いたり、現地のひとたちと一緒に何かを行ったりする調査方法です。人文科学の学問や研究と聞くと、難しい理論を学んだり、図書館でたくさん文献資料を探して読んだりするイメージをもつかもしれません。ですが、文化人類学は「その場で何が起きているのか」に注意深く目を凝らすことを基本にしています。

文化人類学は、十九世紀末から二十世紀前半にかけて、西洋世界で「非西洋」

の世界を知るための学問として誕生しました。誕生した当時は、「未開の地」に暮らす民族集団のなかに入っていって、異文化を比較することが主な目的でした。いまも文化人類学に、こうしたイメージをもっている人も多いと思います。

しかし一九七〇年代から八〇年代に、非西洋の民族を西洋とは異なるものとして描き出すことへの批判が起きました。非西洋を野蛮なものとして表象することで、西洋は自身の文化を進歩的なものとして描き出してきたことが批判されたのです。こうした批判によって、文化人類学も大きな転換を迫られることになります。誕生した当初の人類学は、「わたしたち＝西洋」と「かれら＝非西洋」は違うという前提に立ち、ふたつのあいだに境界線を引くことによって、その差異を強調してきました。ですが、この境界線は絶対的なものではありません。

転換期以降の人類学は、当たり前と思われてきた境界線を引き直したり、別の境界線の引き方をしたりできるのではないか、と考えるようになりました。後者のようなあり方を、私は「はみだし」と呼んでいます。今日はこの「はみだし」をキーワードに、私たちの日常にあるいろいろな境界線を考えなおしながら、「生きること」とはどういうことかを考えてみたいと思います。

「日常のルールを疑ってみる」

普段、私たちはいろいろなルールに従って生きています。ルールにも境界線があります。一番わかりやすいのはスポーツではないでしょうか。

すべてのスポーツではそれぞれに固有のルールが共有されています。野球には野球のルールが、サッカーにはサッカーのルールがある。たとえば、みなさんが野球の試合をしていたとします。そのとき、どうしてもサッカーをしたくなったとする。でも突然、野球場でサッカーボールを蹴り始めたら試合は成り立ちませんよね。「陸上の一〇〇メートル走」と「水泳の一〇〇メートル自由形」を競うこともできません。タイムのうえではどちらが速いか決められるとしても、条件が違いすぎるので何と何を比べているのかがわからないからです。このように、決められた一定の枠組みやルールのなかで勝ち負けを競うのがスポーツです。

学校生活もスポーツと似ていて、そのなかで決められた固有の枠組み、ルールや価値観があります。欠席せずに授業に毎回出席する、遅刻しない、テストでいい点数をとる、そうした決められた基準によって、みなさんは評価されます。テストで百点と二十点だったら、百点のほうが褒められるのが学校という世界です。ですが、学校における「できる／できない」「よい／悪い」といった評価は、無数にある枠組みのなかの、ひとつの基準に過ぎないかもしれない。スポーツごとにルールが異なるように、そう疑ってみることもできると思います。

落ちこぼれをつくる制度

学校の評価が絶対ではないことを示すエピソードを、ひとつ紹介します。画家であり、ブックデザインの世界でも活躍されている矢萩多聞さんは、ご自身の半生を『偶然の装丁家』という本にまとめられています。彼は小さいころから絵を描くのが大好きでした。しかし、美術の成績は五段階評価でずっと「1」だったそうです。なぜかというと締め切りに間に合わないから。好きだからこそ、自分の描きたい絵のイメージやこだわりがあって、締め切りを気にしないで描き続けてしまう。でも学校は成績を出すために締め切りを設けなくてはいけない。自分はただ好きで絵を描いているのに、なぜ二十点だとか百点だとか評価されなくてはならないんだろう。学校のシステムに違和感をもった矢萩さんは不登校になります。

そして中学一年生で学校に行かなくなり、矢萩さんは家族と一緒にインドに行きます。インドで現地の絵の描き方を学び、帰国後は銀座のギャラリーで個展を開きました。周囲には絶対うまくいかないといわれていたのですが、結果として彼の絵は次々と買い手がつきます。ブックデザイナーとしても成功し、いまや六百冊もの本の装丁を手がけられています。

このエピソードからわかるのは、学校や塾、大学受験は「数字」によって評価をしますが、この評価が社会でも同じとは限らないということです。学校の

▼**矢萩多聞**
画家、装丁家。一九八〇年生まれ。装丁のほか、リトルプレスの制作やラジオを主宰する。著書に『本の縁側』『たもんのインドだもん』『本とはたらく』など。

先生は一律の基準で評価をしなければならない立場ですから、「テストの点数が低くてもいいですよ」「私はこの絵をいいと思わないけど、ほかのひとはいいと思うかもしれないね」とはいえません。

高校受験や大学受験などの入試問題も同様です。採点するひとによって合否が異なってしまわないように、可能な限り単純な仕組みをつくって受験生を序列化します。だから、正解・不正解が明確な問題や答えが一つしかない問題しか出すことができないのです。点数化しやすい問題ばかりが選ばれているのですね。でも現実世界には、正解が一つの問題なんて、ほとんどありません。そういう意味でテストの点数は、あくまで特殊なルールのもとでの「仮のもの」にすぎないのです。

このように、学校制度は大きな矛盾をはらんでいます。思想家のイヴァン・イリイチは「学校は、落ちこぼれを作り出す装置だ」といっています。テストは、仕組み上、全員が百点をとれるものであっては意味がない。だとすれば、どんなテストも必然的に「できないひと」を作り出すことになります。常に「できるひと」でいられるひとは少数です。百人いたら、トップ十人が偏差値の高い高校に進学する。そのなかで、さらにトップの人が偏差値の高い大学に進学して……ということが起こります。このシステムでは、結局、大半の人が「できない」（＝「あなたより優れたひとがいる」）というレッテルを貼られていくのです。

▼イヴァン・イリイチ
オーストリア生まれの思想家。一九二六年生まれ。ニューヨークでカトリックの神父として活動し、その後バチカンとの対立を経て還俗。教育、交通、病院、エネルギーなどに関して、近代文明の諸問題を指摘した。著書『脱学校の社会』において、近代の学校システムに対する批判を行っている。二〇〇二年没。

「未来がわからないことは不幸なのか」

スポーツは決められたルールのなかで「どれだけ高得点をあげるか」を考えます。学校では、テストや課題の評価によって成績の良し悪しが決まります。ですが、人生はそんなにシンプルではありません。スポーツや学校のテストのように点数制であればわかりやすいでしょう。でも幸か不幸か、人生はそのようにはできていません。野球をしているひと、サッカーをしているひと、ほかにも異なるゲームをしているひとが無数にいる。学校の一歩外に出れば、「テストで百点」がまったく無意味になってしまうこともある。野球で三十本ホームランを打つのとサッカーで三〇ゴールするのとどちらがすごいのか比べようがないように、評価の基準はそれぞれの場所や何を目的とするかによって違うからです。そういう無数の枠組みに囲まれているのが、私たちの「生きること」です。

冒頭でもお話ししたように、文化人類学はそのルール自体を根本から問う学問です。そもそも学問の世界では、答えがひとつに定まっているものはほとんどありません。数学や理科だって、誰も異論を唱えない「客観的事実」があると思われがちですが、その「事実」も時代が変わればくつがえされることがあります。いま「正しい」と思われていることも一時的な正解でしかありえないのです。

正解がないのは、人生も同じです。この学校に入れたら、この会社に入れたら人生は正解だ、なんてことはありえない。何が正解かわからないまま、未来がどうなるかわからないまま、それでもなお選びとっていかなければいけない。だから、私たちは思い悩む。

でも、未来がわからないことは必ずしもネガティブではないと思いませんか。すべて未来が決まっている人生なんて楽しいでしょうか？　人工知能が経歴や性格診断などの結果から、結婚や交際の相手をマッチングする時代が訪れつつあります。そうやって人工知能が薦めるひとと出会って、提案されたものを食べて、提案された学校、会社に通う。人工知能が学習した大量のビッグデータが人間の直感や思考を凌駕する場合もあるのでしょうが、仮にそうだとしても、自分で生き方を選択できない状態は、幸せなんでしょうか。ただベルトコンベヤーに乗って流されていくようで、本当に生きているとは感じられないかもしれません。むしろ、基準が複数あること、予想どおりにいかないこと、枠組みから「はみだす」こと、それこそが人生の面白さだと思うのです。

「人生は「はみだし」だらけ」

私はいま文化人類学者になりましたが、中学生・高校生のころは、自分が学者になって、中高生の前で喋っているなんてまったく想像もしていませんでした。

中学のときは授業が本当につまらなくて、教室の窓際の席で外の景色をずっと眺めていました。授業の内容なんて全然記憶に残っていません。高校も部活をしたり、友だちと遊んだり、勉強以外のことに夢中でした。転機になったのは、高校の修学旅行です。私は熊本県の出身なのですが、修学旅行で京都に行って、ここで生活してみたいと直感的に思いました。鴨川を歩いていたら、突然そう思ってしまったんです。合格する成績ではなかったのですが、思いきって京都大学だけを受験し、一年浪人したのちなんとか合格して、それから十五年ほどを京都で過ごすことになります。

そして大学で出会ったのが、文化人類学という学問です。高校生のときは、まったく文化人類学について知りませんでした。でも、勉強しはじめたらどんどん面白くなっていきました。大学二年生のときに島根半島の漁村ではじめてフィールドワークを経験しました。集落のひとたちから聞いた話が次々とつながって、その土地の複雑な歴史が浮かびあがるのを体感しました。

しかもフィールドワークでおもしろいのは、調査をするひとが変わると、話を聞く相手も、注目するポイントも変わって、あきらかになる「事実」が違うところです。つまり私がやるフィールドワークは、私の人類学の研究になる。こんなふうに等身大の自分が手探りで問いを深めて、世界について考えられる学問があるのかと感動を覚えました。でも、文化人類学者になるには、大学を卒業したあと最低でも五年間、大学院で研究しなくてはなりません。たとえ無事に大学院を修了しても、研究者の職につけるとは限りません。それなのに、同級生がみんな就職活動をして働きはじめるなかで、何年間も大学院で研究をつづけるのは、人生の賭けみたいなものです。結局、私も研究者として就職できたのは三十歳のときでした。それでもまだ恵まれていたほうです。

いまは幸いにして大学の教壇に立つ身になりました。もともと教育に関心があったわけではありません。学生時代に家庭教師のアルバイトをしたこともありますが、教えた生徒のテストの点数が上がらないので三回ほどクビになっています。そんなひとが教壇に立っていいのか、と思われるかもしれませんね。それでも、大学で教えるうちに教育も面白いと思うようになりました。自分が研究するなかで考えたことを学生に話しても、簡単には通じません。どうしたら伝わるだろうか、と考えてみる。そうやって言葉を絞り出すことが、結果的に自分の研究を深めることにもつながっていく。「教育」というのは、教師が生徒を「教えて育てる」ことではなく、「教える者が育つ」ことだと気づきました。若い学生たちとの出会いが、私にあらたな生き方や価値観の可能性を広げることになったのです。

こうして話してみると、私の人生は「はみだし」だらけです。最初から思い描いていた夢を実現したわけではありません。歩みを進めるたびに別の景色が広がって、それまで見えていなかった道が見えるようになる。現在もそうですが、ずっとそういうことのくり返しだったと思います。よく大人は「あのとき努力したから、いまの自分がある」と、過去と現在を一直線に結びつけて語りがちです。でも正直にいうと、私は大学生のときも、数年後の自分が何をしているのかまったく想像できませんでした。そもそも何を人生の目的とするかが、いろんな出会いのなかで移り変わってきたわけですから、自分がどうなるのかわからないまま暗闇のなかを手探りで進んできた、というほうが現実に近いと思います。

「直線的な生き方の落とし穴」

ひとが生きるとはどういうことか。この問いについて考察している、ティム・インゴルド▼という人類学者がいます。インゴルドは著書『ラインズ』のなかで、線には直線と曲線の二種類あるといっていて、これらの線を「旅」にたとえます。

直線のほうは、出発前から目的地を定めて、決まった経路をたどる旅です。こうした旅は、ゴールにたどり着くことが目標ですから、その途中で何が起きるかには関心がもたれません。できるだけ早く効率的に目的地に到着したいと考える。

これを生き方に当てはめると、直線のほうは、ゴールを明確に定めて、そこへと迷わずに向かう生き方に重なります。たとえば、しっかり勉強して学校のテストでいい点を取る、大会でいい成績をおさめるために部活の練習を頑張る

▼**ティム・インゴルド**
社会人類学者。一九四八年生まれ。トナカイの狩猟や飼育をめぐるフィンランド北東部のサーミ人の社会と経済の変遷についてフィールドワークを行なう。著書『ラインズ——線の文化史』では、線という観点からあらゆるものを捉えなおすことを試みている。『人類学とは何か』『生きていること』など著書多数。

といった結果を重視する生き方が、こちらに当てはまります。現代社会では、こうした直線的な生き方だけが正しいように語られます。学校という場ではとくにそうかもしれません。しかし、インゴルドはそれだけではないはずだといいます。

私たちがゴールを目指して一直線に進んでいるとき「私たちは世界のなかに存在しなくなる」というのです。これを「満員電車」に置き換えてみるとイメージしやすいと思います。満員電車ほど苦痛なものはないですよね。とくに感染症が流行っている昨今、なるべく人が密集したところには行きたくない。この苦痛をやり過ごそうと、私たちは目をつぶる、あるいは携帯を見つめる。周りに注意を向けるどころか感覚を麻痺させて、自分のなかに閉じこもります。世界に対して自分を閉ざす。まさに世界からいなくなるような状態です。ただ目的地に一刻も早くたどり着きたい。そのあいだ、周囲で何が起きているかには、まったく関心が向けられません。

ゴールを目指して進んでいるとき、その過程で出会うひとや予想外の出来事は、自分を邪魔する存在に見えてきます。目的地に向かうルートから「はみだす」と「失敗」と感じてしまう。新しいひとやモノとの出会いはいたるところにあるのに、世界に対して自分を閉ざしているとき、私たちは偶然の出会いによって別の人生を歩む可能性を失っているのです。

曲線的な生き方の可能性

これに対して、曲線のほうはどうでしょうか。こちらは「徒歩旅行」にたとえられます。景色を見ながら、「今日はこの道にしよう」とそれまで思ってもみなかった道に進んでみる。そんなふうにぶらぶらと歩くと、いつもは目に留めなかった新しいお店を発見したりすることがありますよね。周囲に対して注意深くなっている状態です。インゴルド的にいえば、そのとき私たちは「世界のなかに存在している」。

文化人類学も、こうした曲線的な態度を重視しています。フィールドワークの前には、調べたいことをある程度考えておきますが、このとき「仮説を検証しよう」という直線的な態度で現地に入ると、自分が想定していた枠組みに当てはまるものだけしか目に入らなくなります。自分が考えたとおりの結果が得られるなら、現地に行かなくてもいいし、面白くもありません。曲線的な態度でいれば、考えたこともないようなこと、考えたいとも思っていなかった問いに出会えるかもしれない。そこから世界が開けることがあるのです。

長い人生においては、直線的に目標を定めて進むべきときもあります。それ自体が悪いわけではありません。ただ、もう一つの「線」の歩み方もあることは心に留めてほしいと思います。決まったゴールもなくウロウロと彷徨(さまよ)っているとき、私たちは世界に対して自分を開いている。それは「わたし」というものを形づくる境界線が開かれて、外側へと「はみだす」ことでもあります。「面白そうなひとがいるな」「読むつもりがなかった本を読んでみたら夢中になってしまった」「忙しいのに、このトピックが気になってしょうがない」、そうやっていろいろなひとやモノと出会うことで、私自身が変わっていくことを楽しんでほしい。現に、私たちはそうやって生きているのです。

Q&A

――人生には価値基準がいろいろあると先生はおっしゃいましたが、自分の価値はどう決めればいいでしょうか？

価値基準は、他人が決めるものと、自分で見つけるものの二種類あると思います。前者の例でわかりやすいのは就職活動です。企業によって採用の基準はまったく違います。Aという企業は、人前で流暢（りゅうちょう）に喋れる元気なひとを採用するけど、Bという企業は、積極的に発言はしないけど、よく物事を考えていて地道に頑張るひとを採用する、といったふうに。

一方、自分の価値基準は、誰かから与えられるのではなくて、自分で見つけ出していくものだと考えられていますが、かならずしも「自分だけ」で決まるわけではありません。たとえば、友だちが好きだといっているものが、自分は全然いいと思わない。そうやって自分と違う「他者」に出会って自分の価値観に気づく。「他者」との差異から自分の輪郭がだんだん摑めてきます。

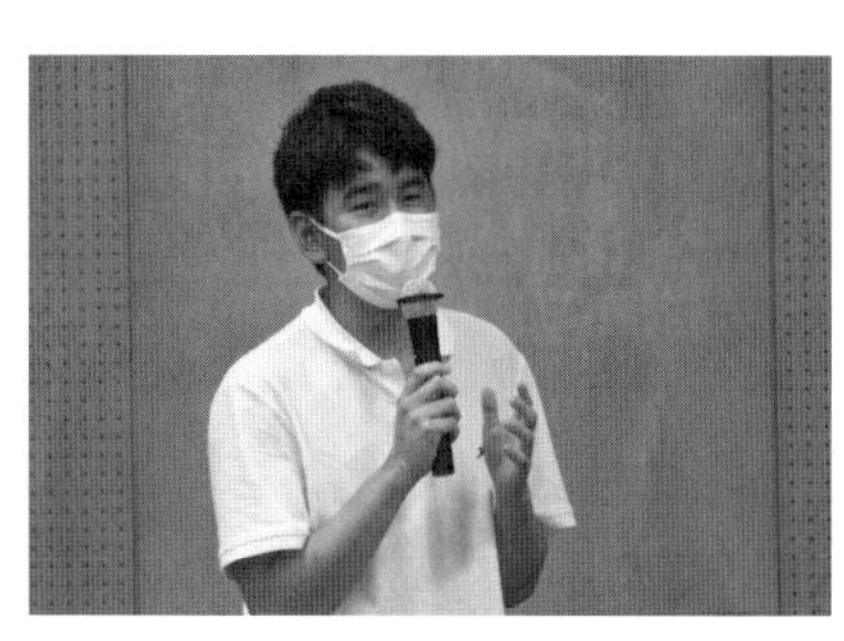

自分とはどんな人間なのか、どんな価値観をもっているのか、最初からひとつに定まっているわけではありません。見知らぬ他者やモノとの出会いを通じて、変わっていく。最初にエチオピアでフィールドワークをしたとき、まったく日本と異なる環境で、ほんとに遠くの国に来てしまったと思いました。でもしばらくすると、ほとんど言葉も通じないし、文化もまったく違うのに、現地のひとと仲良くなって、一緒にゲラゲラ笑い合ったりしていました。まったく違うと思えたひとが、だんだんとそんなには違わないかもと思えてくることだってある。そうやって、自分自身のことについても、思ってもいなかった側面を知っていく。それが人間の面白さだと思います。

わたしの思い出の授業、思い出の先生

Q1：思い出の授業を教えてください
Q2：その授業が記憶に残っている理由はなんですか？
Q3：その授業は人生を変えましたか？

よく覚えているのは、講演でもふれた大学２年生のときに受けた文化人類学の調査実習という授業です。島根半島の漁村で、はじめてフィールドワークを経験しました。先生はとくにこうしろああしろとか、具体的なことは何もいわなくて、基本的には学生たちだけで考えてそれぞれ自分が思うように動くんですね。でもそのなかで、事前に本などで調べていたことが、現地ではまったく違っていて、ちゃんと足を運ばないとわからないことがたくさんあると衝撃を受けました。自分が教科書などで勉強して知っていると思ってきた「知識」も、まったく役に立たないと打ちのめされた経験でもあります。じっさいに自分で見聞きしたことをもとに複雑な現実をあきらかにしていく。その文化人類学のおもしろさに目覚めたのも、あのときが最初でした。文化人類学者という道を選んだ原点にあの経験があったと思います。

わたしの仕事をもっと知るための3冊

松村圭一郎『はみだしの人類学』（NHK出版）
松村圭一郎『うしろめたさの人類学』（ミシマ社）
ティム・インゴルド『ライフ・オブ・ラインズ——線の生態人類学』（筧菜奈子ほか訳、フィルムアート社）

第2章

パンデミックと戦争のいま

ロシアのハイブリッド戦争

廣瀬陽子

ひろせ・ようこ＝国際政治学者。慶應義塾大学総合政策学部卒業。東京大学大学院法学政治学研究科修士課程修了・同博士課程単位取得退学。政策・メディア博士（慶應義塾大学）。二〇一六年より慶應義塾大学総合政策学部教授。専門は国際政治、旧ソ連地域研究。二〇一八年から二〇二〇年まで国家安全保障局顧問を務めるなど、政府の委員等も数多く歴任。著書に『旧ソ連地域と紛争――石油・民族・テロをめぐる地政学』『コーカサス――国際関係の十字路』『ハイブリッド戦争――ロシアの新しい国家戦略』など多数。

二〇二二年二月二十四日、ロシアがウクライナへの軍事侵攻を開始しました。軍事専門家のなかには予測していたひともいるようですが、私のように政治を研究している立場からしても、突然のことで本当に驚きました。なぜなら、まったく合理性のない侵攻だからです。講義の前半では、戦争が起きた経緯をじっくりと追っていこうと思います。

そして後半では「ハイブリッド戦争」をキーワードに、今回の戦争が国際的にどれほど広範な影響力をもつのかということについてもお話ししましょう。

「ロシアの勢力図」

ロシアがウクライナ侵攻に至った背景をお話しするまえに、ロシアの国際的な立ち位置がどのようなものかを説明します。

ロシアは、国内に十一時間もの時差があるほど世界一の広大な領土をもっています。ウラジーミル・プーチンが二〇〇〇年に大統領に就任して以来、影響力を及ぼすことのできる諸外国、「勢力圏」の維持がロシアにおける外交政策の要（かなめ）となっていました。アメリカ一強の状態を阻止するためにも、まずは自国の影響圏を確保することが肝要でした。

ロシアの勢力圏とは具体的にどこかというと、まず最重要なのはウクライナやベラルーシ、ウズベキスタンといった旧ソ連諸国▼。そして第二に旧共産圏と新領域です。旧共産圏とは、冷戦時代に共産圏だったルーマニアやブルガリアなどのかつての東側諸国で、新領域は北極圏▼などを指します。

このなかでとくに親ロシア国として知られるのはベラルーシです。さらにロシアにも、NATO▼（北大西洋条約機構）に匹敵するような軍事同盟CSTO（集団安全保障条約機構）があり、カザフスタン、ウズベキスタン、タジキスタン、キルギスタン、アルメニアのように、CSTOに加盟している国は比較的親ロシア的だと考えられてきました。

しかしロシアの勢力圏はだんだんに縮小していっています。エストニア、ラトヴィア、リトアニアからなるバルト三国は、二〇〇四年にはすでにNATO、EUに加盟しているので、ロシアの影響下からはそもそも完全に外れています。また、ウクライナ、ジョージアは、ロシアとは決別してNATOに、そしてモルドヴァはEUに入りたいという態度をとっています。

ウクライナ戦争が始まってからというもの、ベラルーシ以外の国はロシアか

▼旧ソ連諸国

ロシアの勢力圏としてとくに重要な旧ソ連諸国は、ウクライナ、ベラルーシ、ウズベキスタン、カザフスタン、ジョージア、アゼルバイジャン、リトアニア、モルドヴァ、ラトヴィア、キルギス、タジキスタン、アルメニア、トルクメニスタン、エストニアに、ロシアを加えた十五ヶ国のことをいうが、リトアニア、ラトヴィア、エストニアというバルト三国は既にEU、NATOに加盟しており、ロシアの勢力圏ではなくなっている。

▼北極圏

北極圏は、地球温暖化により、海氷の融解が進んだことによって豊富な資源が採取しやすくなったり、移動時間・燃料コストを減らせる北極海航路が利用できるようになったりと、戦略的意義が高まったことで世界の関心が高まっている場所である。

ら距離をとるようになりました。ソ連時代には、ウクライナを含めみんな一つの国だったのです。それにもかかわらず同胞を攻撃したロシアからは、比較的親ロシア派とされてきた国でさえもだんだん離れていっている状況です。

なぜウクライナなのか

侵攻に際して、ロシア側の言い分の一つに、ウクライナのNATO加盟表明がありました。ロシアにとってNATOやEUの勢力圏拡大はなんとしてでも阻止したい展開です。しかし勢力圏のなかでなぜ、ウクライナのみに侵攻したのでしょうか。ロシアにとってウクライナの重要度が高い理由は四つあります。

一つ目は、歴史を共有しているということです。ロシアとウクライナとベラルーシの三ヶ国は、かつてキエフ大公国▼（キエフ・ルーシ）という国を構成していました。その首都は、現在のウクライナの首都でもあるキーウ（キエフ）でした。つまり、ロシア人にとってのキーウとは日本人にとっての京都のような存在で、だからこそキーウが欧州に含まれてしまうのは許せないのです。

二つ目は、民族的に近いということです。キエフ大公国の三ヶ国は東スラブ系民族から成り、民族間の結婚も少なくありません。親戚にウクライナ人やロシア人が入り交じっていることも珍しくないので、欧米に渡すわけにはいかな

▼NATO
第二次世界大戦後に設立された、アメリカやイギリスなど欧米諸国を中心とした政府間軍事同盟。冷戦終結時に十六カ国だったNATO加盟国は、一九九〇年に統一された東西ドイツのほか、一九九九年に旧ワルシャワ条約機構加盟国のチェコ、ハンガリー、ポーランドが加わるなどし、現在は三十カ国まで拡大した。

▼キエフ大公国
九世紀末から十三世紀半ばにかけて、現在のウクライナやロシア、ベラルーシにまたがる地域にあった国。「キエフ大公」と呼ばれる君主による統治のもと複数の公国が緩やかに連合していた。古東スラヴ語ではルーシと呼ばれ、現在のロシアとベラルーシの国名の由来となっている。

いという心理が働きます。

三つ目は、ロシアで抑圧的な政治が継続しているなかで、隣のウクライナ人が欧州と一体化し、幸せになってしまったとしたら、ロシア人は「自分達も幸せになりたい」と反プーチン運動を始めてしまうかもしれない。それはなんとしても避けたく、ウクライナには向こう側に行って欲しくないのです。

そして四つ目は、ウクライナが緩衝地帯になっているということです。NATOの勢力が迫ってきているなかで、地理的にクッションになるウクライナは手放せません。

そもそもロシアにとっては、NATOが未だに存在すること自体が許せません。東西が分裂していた冷戦時代に、西側はアメリカが中心となってNATOをつくり、東側はソ連が中心となってワルシャワ条約機構をつくりました。冷戦が終結したあと、ソ連の崩壊とともにワルシャワ条約機構は解体。しかし一方のNATOは存続したからです。

またそれだけでなく、旧東西ドイツ統一以降もNATOが拡大し続けたことに対しても、ロシアは大きな不満を抱いています。当時の西ドイツはNATO加盟国でしたが、東ドイツはワルシャワ条約機構の一員でした。統一にあたって、アメリカは統一ドイツのNATO加盟を望み、旧ソ連はそれに反対していました。アメリカは、ソ連がドイツの加盟さえ認めてくれるならば、それ以上の東方拡大は行わないとして当時のゴルバチョフ書記長に提案。ソ連はアメリカ側の要求を承諾し、統一ドイツはNATOに加盟しました。しかし文書を交わしていなかったために、アメリカ側は約束を早々に破ります。ロシアの勢力圏をどんどん侵害していったのです。

ウクライナ侵攻の理由は複雑ですが、NATO側による勢力拡大へのロシアの不満もその一つでした。しかし今回、ロシアが戦争を起こしたことによって、いままで中立を維持していたフィンランドとスウェーデンまでもがNATO加盟を目指すと発表しました。ロシアは自国の勢力圏を守りNATOに対抗するつもりが、オウンゴールを決めてしまったといえるでしょう。

「ウクライナ侵攻の前景」

実際の軍事侵攻が開始されたのは二〇二二年二月二十四日ですが、その発端は二〇一四年に遡ります。ロシアとウクライナの緊張関係を四つのフェーズに区分すると、私たちが報道で目にしたウクライナ侵攻は、すでに三つ目のフェーズを経ていたといえます。

第一フェーズは二〇一四年のユーロ・マイダン革命です。事の起こりは、二〇一三年。当時のウクライナはEU加盟を目指し、EUの連合協定に署名する予定でした。しかし、親ロシア派のヴィクトル・ヤヌコーヴィチ▼元大統領がロシアからの圧力を受け、土壇場で署名を見送ってしまいます。これに怒っ

▼**ヴィクトル・ヤヌコーヴィチ**
一九五〇年、伝統的に親ロシア派が多いとされるウクライナ東部に生まれる。二〇一〇年から一四年まで大統領を務めた。在任中はロシア寄りの姿勢が目立ち、一三年にはウクライナのEU加盟を見送ったことで国内の親欧米派から非難を受け、反政府デモが勃発。キエフを脱出しロシアへと亡命した。国内で大統領解任を決議されるも、未だ辞任に同意していない。

たウクライナ国民が大規模な抗議行動を決行したのが「ユーロ・マイダン革命」です。この「革命」では治安部隊による抗議行動鎮圧に際し、多くの民間人の血が流れました。

第二フェーズは、ヤヌコーヴィチ大統領の失脚・逃亡に始まります。それに怒ったロシアはすかさずクリミア▼編入を決行します。ロシアは十年程前からクリミアでの情報戦を展開し、住民を洗脳していましたが、ロシアの特殊任務部隊がクリミアに入り、軍事的脅しをかけながら、クリミア独立の是非を問う住民投票を行いました。結果、九割以上の賛成票が集まり、クリミアのロシア編入が決定。こうしてロシアはスピーディーに「クリミア併合」を成し遂げてしまいました。

さらに、第三フェーズがウクライナ東部における危機です。ウクライナ東部ではプーチンの息がかかった親ロシア派がウクライナからの独立を表明し、重要拠点を占拠しました。そして、制圧を試みたウクライナ政府軍と激しく衝突し、内戦状態に突入します。二〇一四年の停戦合意「ミンスクⅠ」はすぐに破られ、二〇一五年には「ミンスクⅡ」が結ばれましたが、内容はかなりロシア側に有利なものでした。親ロシア派のウクライナ東部二州であるドネツクとルハンシクに「特別な地位」つまり高度な自治権を与えることが明記されたのです。この二州がウクライナのNATO加盟を邪魔するようなことも考えられます。これにはウクライナ政府側も納得できず、ミンスク合意の履行を渋り、

▼**クリミア**
ウクライナの南部、黒海に突き出したクリミア半島は、ソ連の成立とともにソ連統治下にあったが第二次世界大戦後にウクライナに領有権が移った。ロシア人及びロシア語を母語とするウクライナ人が人口の半数以上を占める。

停戦合意が交わされたにもかかわらず東部では緊張状態が続いていました。

そして混乱が収束しないまま、第四フェーズ、つまり現在のウクライナ戦争へとつながっていきます。二〇二一年の春と秋に、プーチン大統領がロシア軍をウクライナ国境付近に集結させました。同年七月には、「ロシア人とウクライナ人の歴史的一体性について」という論文を発表し、独自の歴史認識を開陳。二二年二月二十一日にはドネツクとルハンシクを独立国家として承認し、「両国」と条約を締結します。条約に基づいて、同地域のロシア系住民の保護を大義名分とし、二月二十四日にとうとう軍事侵攻を開始しました。

「取り返す」という大義名分

ロシアがウクライナ侵攻に至った直接の要因は、日本のメディアではあまり注目されていません。

要因の一つとして考えられるのが、アゼルバイジャン・アルメニア間のナゴルノ・カラバフ戦争▼です。ともに旧ソ連構成国である両者の間で、アゼルバイジャン西部の山がちな地帯に位置するナゴルノ・カラバフ自治州の支配圏をめぐって衝突が起こりました。この戦争は一九九一年から一度は停戦合意が結ばれた九四年までの第一次戦争、そして二〇二〇年に起きた大規模衝突である第二次戦争に分けられます。

▼ナゴルノ・カラバフ戦争
一九二三年の旧ソ連時代、ナゴルノ・カラバフは当時の書記長ヨシフ・スターリンによってアゼルバイジャン領であると明言された。しかしかねてより同地域にはアルメニア人が多く居住しており、アゼルバイジャン領

しかし二〇二〇年に停戦状態が破られた際には、アゼルバイジャンが領土を取り返しました。

このときアゼルバイジャンはNATO加盟国のトルコから支援を受けていました。アゼルバイジャンは石油に恵まれ資金力もあり、トルコやイスラエルからドローンを購入したり、さまざまな国から近代兵器も買っていましたし、NATOの戦い方を研究していました。一方アルメニアはロシアの軍事同盟に入っていて、兵器も戦い方もロシア軍仕込みです。まさにNATOとロシアの戦争の縮図版と化していました。

アゼルバイジャンは武力によって領土を奪還しましたが、国際社会からは非難されませんでした。そもそもアルメニアがアゼルバイジャン領を占領していたことが、国際法違反だったからです。

この戦争は、ロシアとウクライナ双方に大きく影響を与えたはずです。

ウクライナ側としてはロシアに奪われたクリミアを取り返すなら武力しかなく、かつ、武力を用いても自国領を奪還するためなら批判されないことを学びました。アゼルバイジャンと同じようにトルコからドローンを購入し、欧米諸国との軍事協力も強化してゆきました。

そしてロシア側もこの戦争から、「自国領」なら、力で取り返しても良いのだというメッセージを受け取りました。ロシアはウクライナを独立国家として考えておらず、ロシアの一部と考えていたことが、このメッセージを自国に都

を脱しアルメニアに帰属することを望む勢力が存在した。ソ連末期からアルメニアへの移管を求める運動が拡大し、アゼルバイジャン人との対立が深まった。アゼルバイジャン人との民族浄化が始まり、紛争が勃発した。アルメニア系住民はソ連が解体された九二年に「ナゴルノ・カラバフ共和国」を名乗り独立を宣言。ソ連解体後は、両国の全面戦争となった。ロシアがアルメニアを支援したことにより、アルメニアが勝利する形で九四年にロシアの仲介で停戦したものの、一万七千人が死亡し、百万人以上が難民になったとされる。この際ナゴルノ・カラバフとその周辺地域(アゼルバイジャン領の約二〇%に相当)はアルメニアの占領下に渡るも、二〇二〇年の第二次戦争で緩衝地帯及び同地の約六割がアゼルバイジャンに奪還された。

合よく受け止めた背景にあります。侵攻の原因となった、ウクライナとロシアは一体であるというプーチンの歴史観は、コロナ禍が加速させたともいえます。プーチンはコロナを非常に恐れ、自室に引きこもって歴史書を読んでいたそうです。ここで自分なりの歴史観をつくってしまった末にできたのが「ロシア人とウクライナ人の歴史的一体性について」という論文です。こうした誤った歴史観のもと、「ウクライナを取り返す」という大義名分を抱くようになったのです。

二〇二〇年のナゴルノ・カラバフ戦争はロシアとウクライナ双方に、戦争にまつわる知見を与えてしまったといえます。そこからの展開は目まぐるしいものでした。

二〇二一年の秋、アメリカが派手な情報戦を展開しました。「ロシアは必ずウクライナに侵攻する」とリークしたのです。アメリカとしては、情報を握っていることを伝えれば実際に侵攻することはないだろうと踏んでいました。しかしプーチンは止まりませんでした。

「特別軍事作戦」から「戦争」へ

侵攻におけるロシアの最初の要求は、ウクライナの非武装化、中立化、そしてロシアのクリミアに対する主権を認めること、ウクライナ東部二州の独立でした。非武装化と中立化の両方をひとつの国に要求するのは無理な話です。たとえば日本は、自衛隊はあっても軍隊はないので非武装といえますが、日米安全保障条約があるので中立ではありません。逆に中立国は自国を守れるように軍備を拡充します。両方を要求するということは、ウクライナを無力化することにほかなりません。

しかし当初のロシアが求めたものは、少なくともウクライナの併合ではなかったと思います。親ロシア的な大統領を据え、国民がロシアに友好的であり、ベラルーシのような友好的同盟国になってくれればそれでよかったのです。

プーチンの計画は誤算まみれでした。クリミア併合での成功体験から、キーウを三日で落とせると思っていたのです。ゼレンスキー大統領は逃げると予測し、その後継に親ロシア的な大統領を据えれば国民に歓迎されると楽観視していました。ロシアの軍人たちも同様です。上官にウクライナに行けば歓迎されると教えられていました。

しかし蓋を開けてみれば、ウクライナ国民は反ロシア的でした。一般国民が武装して火炎瓶を投げてくるような状況です。ロシア語話者だったひとがロシア語を使うのをやめようとするほどです。これまで経てきた歴史や、ロシア側からの要求の身勝手さを思えば当然なのですが、プーチンや兵士たちには思いもよらないことでした。

アメリカをはじめとする欧米諸国は、参戦こそしないもののウクライナを支援し、状況は次第に欧米諸国とロシアの代理戦争と化していきます。ここでロシア側の領土的野心が高まってきました。その結果が茶番の「住民投票」を経て、二〇二二年九月三十日に行った、ウクライナの東部・南部四州をロシアに併合するという一方的な宣言です。力づくでこれらの州を併合すれば、ＮＡＴＯ圏との緩衝地帯になります。

争点がずれてくるにつれ、和平に向けた交渉も難しくなってきました。二〇二二年三月には交渉が進んでいましたが、三月末にロシアがウクライナのブチャなどで激しい虐殺行為をしていたことが明るみに出て、それ以来ウクライナはウクライナ領内からロシア兵が一人もいなくならない限り、交渉のテーブルにはつかないという姿勢をとっています。

現在はウクライナのほうが優勢です。しかし全ての領土をウクライナが奪還することはさすがに難しく、泥沼の状況に陥っています。

最初、ロシアはウクライナ侵攻を特別軍事作戦と呼んでいましたが、二〇二二年九月からは部分的動員令を発し、国民の軍的動員を始め、名実ともに本格的な「戦争」へと移行しました。さらにウクライナ東部と南部の四州に「戒厳令」を発令しました。戒厳令はロシア語で直訳すると戦争状態という意味です。

争点がずれ、交渉もままならないまま終わりの見えない戦争に突入してしまったのです。

▼ハイブリッド戦争
ハイブリッド戦争が注目されたきっかけは二〇一四年のロシア

ハイブリッド戦争がもたらすもの

ウクライナ戦争で展開されている戦い方は、「ハイブリッド戦争」と言われています。ハイブリッド戦争とは、いわゆる軍事的戦闘である正規戦と、それ以外の非正規戦が組み合わされたものです。非正規戦にあたるのは、政治、経済、外交においてなんらかの圧力をかけたり、サイバー攻撃、情報戦、心理戦、あるいはテロや犯罪行為などを仕掛けたりすることです。それだけ複雑で多様な戦略ですし、手段もどんどん増えていることから、明確な定義はほぼ不可能とされています。

今回の戦争では、ロシアとウクライナの双方がハイブリッド戦争を仕掛けています。

とくにウクライナは、情報戦での巧みさが目立ちました。まず、SNSで国際社会の心をつかんだり、ディーアというスマホアプリを改変して国家と個人が直接つながれるようにしたりと、柔軟かつ工夫に富んでいます。ロシアもサイバー攻撃を仕掛けていますが、ウクライナは重要な情報を全て、事前にマイクロソフトのクラウドにアップしていました。これでサイバー攻撃の被害を受けても、情報が守られます。ウクライナは国際社会を味方につけて情報戦に取り組んでいるので、いまやロシア側が世界中からサイバー攻撃を受けています。

▼によるウクライナのクリミア併合。ロシア軍はサイバー攻撃を仕掛けたり、政治技術者などによるクリミアでの影響工作を有効に用いたりして、無血でクリミア併合を成し遂げた。だが、ロシアは一九九〇年代からハイブリッド戦争的な手法をあちこちで用いてきたし、手法についての議論も色々と展開されていた。例えば、ロシアの地政学者アレクサンドル・ドゥーギンによる一九九七年の著書『地政学の基礎』にも、「目的を達成するためには、軍事力の役割は比較的小さく、ロシアの特務機関による破壊、不安定化、誤報、偽情報などの洗練されたプログラムが果たす役割がとても大きい」「他国に公益や圧力をかけるためにはロシアの天然ガス、石油、天然資源などの強固かつ有効な活用が望まれる」と、ハイブリッド戦争を想起させるような戦法が記されている。

ハイブリッド戦争は、経済制裁も含みます。その国の経済に打撃を与えるために、貿易をストップするのです。経済制裁においては、制裁をかける側、かけられる側の双方がダメージを負います。現在ロシアへの経済制裁が世界的に行われていますが、影響は甚大です。

ロシアはエネルギー大国です。ヨーロッパにおいては、ロシア産の天然ガスや石油への依存度が高く、とくに天然ガスの依存度は四割近くありました。今回は、欧米がエネルギー部門への制裁をかけましたが、ロシア側もエネルギーを武器にして「非友好国」への輸出を停止したことで、多くの国が悲鳴を上げることになりました。ロシアの隣のエストニアは電気代が約十倍になったそうです。さらに世界に出回るエネルギーの量が減ってしまうことでエネルギー価格が軒並み上昇し、日本でも目に見えて影響が出ています。

エネルギー価格の高騰だけではなく、食糧危機も迫っています。ウクライナとロシアは世界の穀物輸出大国です。とくに小麦は二ヶ国で世界の供給量の三〇パーセントを占めています。ウクライナ・ロシアの小麦への依存度が高い、アフリカや中東の貧しい国々は食糧危機に陥りました。また、ロシアは世界一の肥料輸出大国でもあります。ロシアの安い肥料が出回らなくなると、世界各地の農業に支障をきたします。さらに気候変動で干ばつも起き、大規模な食糧危機がもうそこまで来ています。

ロシアはこの状況を情報戦にも使っています。欧米諸国がロシアに制裁をかけるから、このような国際的な危機が訪れたと情報を流しているのです。欧米に不信感をもつ傾向にあるアフリカや中東諸国は、この情報を信じてしまいます。またしてもハイブリッド戦争は、さらなる国際的な分断を引き起こすのです。

「二十一世紀の分断」

いま、二十一世紀に起こってはいけないようなことが起こってしまっています。中国やロシアのような専制主義国家と、欧米諸国を中心とした民主主義国家が対立していく未来図が見えています。さらに、単純な二極化ではなくいわゆるグローバル・サウスに代表されるようなグレーゾーンとなる国々の存在も現れてきました。国連のロシアを非難する決議の結果を見ると、棄権や不参加というかたちで意思をはっきり表明しない国々が少なくないのです。分断は止まりません。

今回の戦争で明らかになったのは、国連が無力であり、戦争犯罪を取り締まる強制力のある秩序が世界にないことです。これまで欧米を中心とした西側社会は、相互信頼に依存しすぎてきたのではないでしょうか。どちらかがレッドライン（越えてはいけない一線）を越えてしまえば、簡単に世界の均衡が崩れてしまうのです。そのような状況への想像力が欠けていたと思います。

この世界的な構造の問題を、どうしたら変えられるのか。政治を研究している私でも答えがすぐに出ることではありません。みなさんも一緒に考えてみてください。

Q&A

——アメリカの同盟国家である日本は、軍事侵攻されたらかなり危ない状況になると思うのですが、先生はどのようにお考えでしょうか。

おっしゃる通りです。日本は核をもっている三ヶ国に囲まれています。民主主義国家と敵対する専制主義国家の中国とロシア、さらにかねてより関係性が悪い北朝鮮。とくにロシアとの問題は深刻です。今回の戦争では、ロシアからしてみるとウクライナは欧米の手下だという見方で戦っていて、代理戦争の様相を呈しています。他方、ロシアは日本を主権国家だと考えておらず、米国の一部と考えています。つまり、ウクライナの役割を日本が果たさなければいけない状況に置かれていた可能性があるのです。危機感をもっておく必要があるでしょう。

さらに日米同盟の問題で難しいのは、アメリカのスタンスとしてたとえば尖閣諸島の問題で中国が日本に攻め込んできた場合には日米同盟を発動する、すなわち、一緒に戦うといっていますが、北方領土問題でロシアが攻め込んできたら日米同盟は発動しないといっている。だから自力で戦わなければいけない。

日本には自衛隊しかありません。今回の戦争が起きてから、日本の防衛費をあげようと国会で議論されていますが、グランドストラテジーが欠けているのが問題です。じつは国際的にいっても日本の自衛隊のレベル自体は相当高いのです。有事となれば国際社会も日本のサポートをしてくれるはずですので、有事の際に自国を防衛できるよう設計をしっかりしておくべきです。

わたしの思い出の授業、思い出の先生

Q1：思い出の授業を教えてください
Q2：その授業が記憶に残っている理由はなんですか？
Q3：その授業は人生を変えましたか？

思い出の授業は、中学3年生のときに受けた「公民」の授業です。「公民」は倫理・政治・経済の3つの学問分野が含まれている授業ですが、実は、小学校のころから、この「公民」の授業が私は大嫌いで、政治を学ぶことはつまらないと思っていたのですが、中学校3年生の公民の担当の先生の授業がとても面白く、政治を学ぶことは面白いと感じ、とても楽しみに授業を受けるようになりました。その先生が、1987年12月に米国のレーガン大統領とソ連のゴルバチョフ書記長が締結した「中距離核戦力（INF）全廃条約」について「この条約は世界を変える」とおっしゃり、まさにその後、ソ連・東欧の情勢が激変して、冷戦終結、ソ連解体が起きたことから、その先生がおっしゃったことは本当だったと感じました。その後、ソ連のペレストロイカやゴルバチョフ書記長に大きな関心をもつようになっていったわけですが、その先生の授業の影響も大きかったと思います。その後、大学入学直後に、ゴルバチョフの「日本の学生と語る」という講演会にも出席でき、ソ連への関心をさらに深めました。そういう意味では人生を変えたともいえるかもしれません。

わたしの仕事をもっと知るための3冊

廣瀬陽子『コーカサス――国際関係の十字路』（集英社新書）
廣瀬陽子『未承認国家と覇権なき世界』（NHK出版）
廣瀬陽子『ハイブリッド戦争――ロシアの新しい国家戦略』（講談社現代新書）

ウイルス克服のための国際協力

詫摩佳代

たくま・かよ＝国際政治学者。東京都立大学法学部教授。一九八一年、広島県生まれ。東京大学東洋文化研究所助教、関西外国語大学専任講師などを経て、二〇一八年より首都大学東京法学部准教授。二〇より年東京都立大学法学部教授。同年、『人類と病――国際政治から見る感染症と健康格差』でサントリー学芸賞受賞。そのほかの著書に『国際政治のなかの国際保健事業』『新しい地政学』（分担執筆）などがある。

新型コロナが蔓延するなか、米中の対立などあらゆる国際的な問題が起こりました。ウイルスという国境を越える脅威に対しては、国境を越える連携が必要ですが、それがうまくいかなかったのです。何が問題だったのか、そしてこれからどうなっていくのかということをお話ししていきます。

グローバル保健ガバナンスと主権国家

国際社会というのは、近くの国と「国境」で分断された主権国家によって構成されています。普段は、日本やアメリカ、中国といったそれぞれの主権国家のなかで、内政と外交をどうするのかをそれぞれの国家が独自に決めています。しかしウイルスは国境を越えるので、国家単位で動いているだけでは、ウイルスの被害をコントロールすることができません。

たとえば十九世紀の初めには、コレラがヨーロッパで流行しました。コレラはインドで流行っていましたが、植民地支配など人員の移動などによって、国境を簡単に越えてフランスやイギリスで大流行しました。ヨーロッパは大陸でつながっているので、国ごとの対応では、感染症の蔓延を食い止めるにも限界があります。ですから国境を越える枠組みを作るべく、ヨーロッパの国々の間で共通ルールを作ったのです。感染症が入ってきたときには互いに報告する、また病原体を運んだ船がやってきたときには共通の措置で対処するといった基本的なルールでした。このように、国境を越えるウイルスを制御するための仕組みが歴史的に築かれてきたのです。

国境を越える健康課題に対し、多様なアクターが多様な方法で連携する体系を「グローバル保健ガバナンス」と呼びます。国境を越える健康課題というと、今回の新型コロナウイルスや、マラリアのような感染症をイメージするかもしれませんが、がんやタバコの健康被害などの非感染症疾患もここに含まれます。

現在、このグローバル保健ガバナンスの中心に位置するのがWHO▼（世界保健機関）です。ご存じの通りWHOは、「すべての人びとが可能な限り、最高の健康水準に到達すること」を目的として設立された国連の専門機関です。

WHOを中心として、多様なアクターがグローバル保健ガバナンスを構成しています。アメリカや中国といった国々や、国境なき医師団のような非営利組織、マイクロソフトの元CEOビル・ゲイツ氏の財団や、クリントン元大統領のクリントン財団といった、国家や個人を問わないさまざまな規模の組織

▼WHO
一九四八年に設立された、国際連合の専門機関の一つ。人間の健康を基本的人権の一つと捉え、その達成を目的として設立された。スイスのジュネーブに本部がある。

が集まっています。資金力がある財団や、高い医療技術をもつ国や製薬会社、医療人材をもつＮＧＯ団体などがそれぞれの特徴を出し合いながら、世界の健康水準向上という一つの方向を目指しているのです。

非常に大きな目標に向かって活動しているグローバル保健ガバナンスですが、個別の健康課題に対して、細かい目安が必要になってきます。たとえばタバコの受動喫煙には具体的にどれだけの健康被害があるのかといったことや、糖分や塩分を一日何グラム以上摂ると体に有害になるのかといったことです。

そういったさまざまな基準やルールを作るのがＷＨＯです。今回の感染症に関しても、緊急時にはＷＨＯに二十四時間以内に報告する、といったさまざまなルールを設けていました。そういったＷＨＯが発するルールや規範を、ＷＨＯを取り巻くアクターや国、財団などが遵守することで、これまでに天然痘の根絶や、エイズや結核のコントロールといった成果が生まれてきたのです。

WHOの権限

しかしこのＷＨＯを中心としたグローバル保健ガバナンスには大きな問題があります。ＷＨＯが発するルールや規範には強制力がないのです。

ここで国際政治の基本的な構図をお話ししておきます。地球上にはいろんなレベルの社会があります。一番大きなレベルは国際社会、次に国内社会、またその次に八王子市や品川区などの市区町村といった地域社会が続きます。そしてみなさんが暮らす学校や家庭も一つの社会です。

国内社会以下のレベルの社会にはルールがあります。国の法律や、市区町村のゴミ出しルールや、校則など、それぞれの社会におけるルールをみなさんが守ることで、秩序が保たれるのです。

国際社会にも、確かにルールはあります。しかしルールを守ることを勧告することしかできないのです。そして、何より国内社会との大きな違いは政府が存在しないということです。具体的にいえば、今回のウクライナ侵攻で、ロシア▼は国連憲章に明確に違反しました。もし世界政府というものが存在するならば、それを処罰することもできたかもしれません。しかし国際社会ではルールを強制することも、ルールに違反した国を国際刑務所のような場所に入れることもできません。

グローバル保健ガバナンスに関しても同じことがいえます。感染症の管理に関しても、国際保健規則というルールがあります。公衆衛生上普通とは違うことが確認されたら、政府はＷＨＯに対して二十四時間以内に報告し、必要な情報を提供するというルールが、国際保健規則に記載されています。今回のコロナウイルスの感染が最初に観測された中国は、明らかにそのルールを破りました。しかし中国に対して何も罰は課されていません。

▼ロシアの国連憲章違反
国連憲章の二条四項では「すべての加盟国は、その国際関係において、武力による威嚇又は武力の行使を、いかなる国の領土保全又は政治的独立に対するものも、また、国際連合の目的と両立しない他のいかなる方法によるものも慎まなければならない」とあり、武力による国際紛争の解決は禁止されている。

このように、WHOの発するルールの強制力のなさに加え、昨今ではWHO自体に対する信頼も低下しています。以前からこの傾向はあったのですが、新型コロナ禍で一層可視化されたといえます。

「WHOへの信頼低下の背景」

ではなぜ、WHOへの信頼が低下しているのでしょうか。

まず、今回のコロナ禍においても判断の遅さが指摘されました。二〇二〇年一月末、WHOのテドロス事務局長がPHEIC（国際的に懸念される公衆衛生上の緊急事態）というものを発表しました。しかしこのときは既に中国以外の複数の国で対人の感染が見られていたのです。WHOは、インフルエンザに関してはかなり細かい指標を設けています。しかしインフルエンザ以外の感染症に関してはフェイクかフェイクじゃないかという二つのフェーズにしか分けられておらず、その不十分さについても改めて指摘されました。

そしてもう一つ、批判されているのが「政治性」です。新型コロナ禍に入ってから市民講座などでも、「いまのWHOは政治的だ。現体制を解体して、科学者だけで政治色のない枠組みにすべきだ」という意見が出ることが多くありました。よく問題にされる、この「WHOの政治性」というのはどういうことでしょうか。

▼PHEIC
国際的に懸念される公衆衛生上の緊急事態(Public Health Emergency of International Concern)の略称。WHOが定める国際保健規則（IHR）において、①疾病の国際的拡大により、他国に公衆の保健上の危険をもたらすと認められる事態、②緊急に国際的対策の調整が必要な事態、と定義されている。

▼インフルエンザに関しての指標
インフルエンザに関しては、フェーズ1「人間に感染が報告されない状況」、フェーズ2「動物のインフルエンザが人間に感染する可能性があると考えられる状況」、フェーズ3「人間への感染が見られるが、共同体内部でアウトブレイクを引き起こす可能性は低い状況」、フェーズ4「共同体内部でのアウトブレイクを引き起こす可能性が高い状況」、フェーズ5「少なくとも二カ国以上で人から人への感

現在、WHO▼と連携しているアクターは多様なものであると先ほどお話ししました。ビル・ゲイツのような個人が設立した財団が、多くの資金をWHOに提供しているということが起こっています。その結果、ゲイツ財団が重視しているエイズや結核、マラリアに、他の保健課題よりも多くの資金が注ぎ込まれることになります。有力なアクターの注目先によって、非常に恣意的な優先順位がつけられてしまうのです。こうした特定の少数者に財政面で依存している状況が、「政治的である」とされているのです。

また、事務局長の選出にも構造的な問題が指摘されています。二〇二二年五月二四日のWHO総会の場で、テドロスが二期目に指名されました。これから五年間、二〇二七年まで事務局長ということになります。

現在、WHOの事務局長は五年間を二期、合計十年務めるのが慣行になっています。二期目に当選するためには、有力な加盟国の支持がないと当選できません。二期目の当選を目指す事務局長は、加盟国を怒らせるようなことは絶対にできません。そのようななかで、事務局長に政治性が疑われるような動きが見られてきたのです。その対策として「七年間、一期だけ」にしてはどうかという提言もありますが、実行のめどはたっていません。このような構造的な問題が新型コロナのパンデミックをきっかけとして明るみに出て、ますますの信頼低下につながったといえるでしょう。

複数の人間や組織が集まるところには、利害関係が生じます。それがぶつか

染が見られる状況」、フェーズ6「パンデミック」と、六つものフェーズが設けられている。

▼WHOと連携しているアクター

二〇二一年におけるWHOの予算では、支出者の上位六団体が全体の歳入における約五割を占めている。そのなかで一位は約一一パーセントを占めるドイツ、次いで二位は約十パーセントを占めるビル&メリンダ・ゲイツ財団である。

り合うところに政治が生まれるのが人間社会の必然なのです。四人家族で一個のホールケーキをどう分けるか、エアコンの温度を何度にするかといったように、みなさんのご家庭のなかでもそれぞれのアクターの利害を調整しないといけない場面があると思います。それがまさに政治です。人間が集まるところにはやはり政治が生まれてしまうのです。

ＷＨＯが科学者だけの組織になったとして、それは変わらないことでしょう。グローバル保健ガバナンスは、「非政治的」ではありえないのです。

新型コロナ禍の長期化の要因

二〇二〇年一月末、ＷＨＯのテドロス事務局長が先のＰＨＥＩＣというものを発表しました。ＰＨＥＩＣは過去十年の間でもたびたび発動されてきています。たとえば二〇〇九年の新型インフルエンザは一年四ヶ月、二〇一四年のエボラ出血熱▼は一年七ヶ月ほどで終わりました。そういった前例と比べても、新型コロナは現在二〇二二年五月末時点でもう二年四ヶ月も続いていることになります。史上稀に見るほど長い緊急事態です。ここまで長期化した要因は、先にお話しした、ＷＨＯへの信頼の低下および、グローバル保健ガバナンスの綻（ほころ）びのみではありません。

一つはウイルスが同時多発的で、それゆえに国同士の協力が難しい状態だっ

▼エボラ出血熱
エボラ出血熱は二〇一四年に西アフリカを中心に流行し、日本での感染はほとんど見られなかった。二〇一六年のジカ熱流行の際にも、オリンピック開催直前だったこともあり非常に警戒されたが、日本国内では感染が確認されなかった。

たことにあります。

これまでのＰＨＥＩＣは新型インフルエンザや、エボラ出血熱、ジカ熱の流行など、局地的なものでした。エボラ出血熱の流行時は、当時オバマ大統領のリーダーシップのもと国連でサミットが開催され、アメリカ軍や医療スタッフの派遣や、医療リソースの提供が迅速に行われ、日本や中国などもそれに加わりました。局地的だったからこそ、余裕のある国々が一斉に協力するということが可能だったのです。今回の新型コロナではそれが不可能でした。同時多発的な危機において、自国優先的な対処が各国で目立ちました。

さらに、自国優先的な振る舞いを超えて、米中の激しい対立も進展してしまいました。少しその経緯を振り返ってみましょう。

新型コロナの流行が始まってすぐの二〇二〇年二月七日、トランプ元大統領と習近平主席による米中首脳会談が電話で行われました。当時両者はすでに貿易や技術覇権を巡って緊張関係にありましたが、トランプ元大統領から中国への協力の申し出もあり、米中がこの危機を巡って協力できるのではないかとの希望が見えていました。そのトランプ元大統領の態度が激変したのは、アメリカの感染者数が急激に増加した同年三月でした。国内からはコロナ対応に関する政権批判が起きました。このときからトランプ元大統領は、次期大統領選を控えていたこともあり、「悪いのは武漢ウイルスだ」と主張し始めたのです。そして中国だけではなく、中国に近しいＷＨＯも悪いと主張し、同年四月に

WHOに対しての資金提供の停止を宣言、七月に「翌年のWHO脱退」を表明しました。

　新型コロナ禍は世界各国に同時に襲いかかった危機であり、単なる公衆衛生上の課題ではなく、政治的な課題になってしまったのです。自国中心どころか激しい対立が起こり、コロナ対応をめぐる国際協力がますます遠ざかりました。

　長期化の二つ目の要因は、この米中の対立なども含む、国際政治の動向にあります。またウクライナ侵攻も、グローバル保健ガバナンスに大きな影響を及ぼしつつあります。

　二〇二二年五月、スイスのジュネーブでWHOの総会が開催されました。元々はこの総会へのロシア代表の参加を中止させようという案もありましたが、撤回されました。ロシア代表は総会の場で「WHOはロシアにとって引き続き信頼できるパートナーだ」と比較的穏やかな発言をした一方で、最近のWHOの政治化を深く憂慮しているという発言もありました。この発言からは、やはり保健協力に関して国際政治の動向が明確に影響を与えるということが読み取れます。

　そして同じ月に開催されたWHOの地域会合では、ロシアに対する非難決議が採択されました。モスクワには、がんや糖尿病、非感染症疾患を予防するためのWHOオフィスがありますが、それをロシア国外に移転させることを求める決議案が採択されたのです。WHOの欧州地域事務局には、ロシアと

▼WHOの欧州地域事務局
WHOの組織体系は、トップである事務局長（本部）、その下に六つの地域事務局（米州、アフリカ、南東アジア、欧州、東地中海、西太平洋）、さらに世界各地に約百五十存在するWHO事務所から成る。

ウクライナ双方が加盟しています。今後ますますロシアが国際的に孤立を深めていけば、保健協力においても分断が進む可能性が大いにあります。

同時多発的なウイルスによる国際協力の困難さ、そして国同士の緊張関係を孕んだ国際政治の動向。これらの大きな二つの要因により、グローバル保健ガバナンスの機能不全に拍車がかかり、新型コロナ禍の長期化に結びついたといえるでしょう。

「グローバル保健ガバナンスの未来」

グローバル保健ガバナンスにおける大きな問題とされている、WHOの権限の弱さに関しては、ルールを変えようという動きがあります。WHOの国際保健規則を変えること、そして新たにパンデミック条約を設け、野生動物の取引やワクチンの知的財産権など、いまの国際保健規則で扱われていない問題について新たな規則を作ることで、次のパンデミックに備えようという提案が欧米諸国から上がっているのです。

新たな枠組みは、複数国家の承認を得なければ成立せず、ここでもやはり国際政治の動向が影を落としています。アメリカ側は今回の中国との対立を踏まえ、次のパンデミックが起きたときに、感染症の発生国が協力を拒んだときには、WHOが発生国の情報を他国と共有することができるという国際保健規則の改定を提案しています。これに中国は大きく反発するはずです。

こういった難しさから、グローバルなレベルでのルール改定は近い未来には多くの困難を伴うと予想されます。今後、感染症が起きたときの実質的な備えでは、有志国同士やコミュニティといった、より小さいレベルでの取り組みが重要視されるようになってくると思います。

具体的には、今回の新型コロナ禍での目立った動きとして、中国のワクチン外交がありました。WHOを通さずに、仲のいい国に対して独自にワクチンの提供や、技術支援を提案していたのです。

EUも同様のことを行っていました。EUはいままで保健分野の協力はほとんど進めたことがありませんでした。しかし今回は欧州保健連合を構築し、域内での情報交換や各国の監視強化、ワクチンを融通するメカニズムの整備など域内独自の連携を進めたのです。

この動きには日本も無関係ではありません。たとえばQUAD（日米豪印戦略対話）です。QUADとは、自由や民主主義、法の支配といった基本的価値を共有する日本、アメリカ、オーストラリア、インドの四ヶ国の枠組みです。QUAD内でも積極的にワクチン協力が展開されました。日本、オーストラリア、アメリカがお金と技術を出し、インドの工場でワクチンを作り、それを東南アジアや中南米に届けることができました。

今後のグローバル保健ガバナンスは、このように重層化していくと予想されます。強い国がリソースを提供し、弱い国々がそれを分けてもらうという一方通行の枠組みではなく、財団や新興国、さらに個人など多様なアクターがそれぞれの長所を生かしながら相互に協力し、次のパンデミックに備えていくというスタイルに変わっていくのです。アメリカという強い国のトップダウンで決定がなされ、ワクチンや薬品などのリソースが提供されていた、第二次世界大戦後の世界からはずいぶん遠くに来たような気がします。

国際政治や国際社会の問題には正解がありません。日本は、自分たちはどう関与していくべきか、それぞれの視点で考えてみてください。

Q&A

――パンデミックを収束させるために、日本がやるべきことはありますか。

日本は、技術自体は世界的に見ても劣っているわけではありません。むしろ非常に優れた技術をもっています。しかし少子高齢化社会を迎えた日本では、製薬会社はがんや糖尿病、高血圧といった非感染症の治療薬に力を入れてきました。それゆえに今回の開発では後れをとってしまった部分があります。技術力自体は非常に高いのですから、今後は他国に対してワクチン開発の技術支援などで役立てると思います。

また日本では、国民皆保険制度が確立されています。つまり病気になっても、所得のレベルに関係なく適切な医療を受けることができるのです。アメリカの

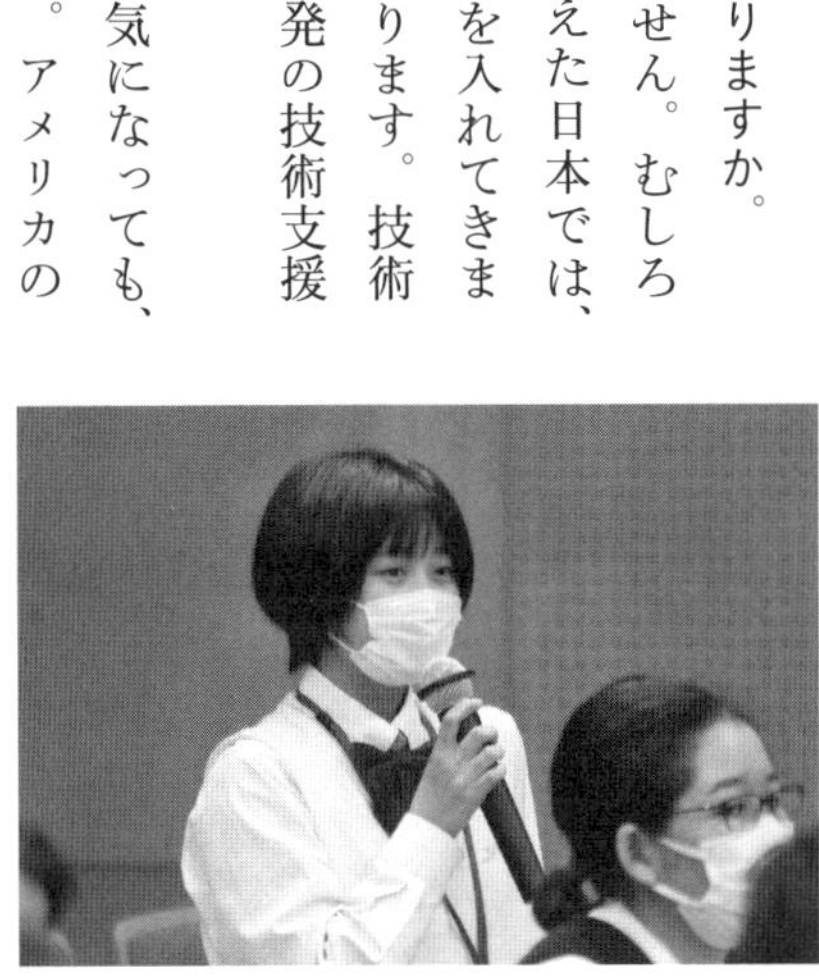

ように国民皆保険がなく医療費がかさむ国もありますし、途上国にはそもそも病気になっても適切な医療すら受けられない国もあります。今回の新型コロナ禍で、アメリカではコロナにかかっても金銭的な理由から治療を受けられない人びとが出てきました。そうしたこともあり、医療システムの整備の重要性が再び脚光を浴びました。保険制度に関する日本のノウハウはもっと広まってもいいいと思います。

わたしの思い出の授業、思い出の先生

Q1：思い出の授業を教えてください
Q2：その授業が記憶に残っている理由はなんですか?
Q3：その授業は人生を変えましたか?

思い出の「授業」なるものはとくにありませんが、大学を卒業し、大学院修士課程に進学して、歴史資料を読みあさるうちに、それまで「非政治的」な領域だと思っていた保健分野が、国際政治の現場では非常に「政治的」であることを知り、強い衝撃を受けました。

保健と政治の関わりを多角的に研究してみたいという思いが強くなり、今に至ります。その意味で、修士課程のときの学びは私の人生を大きく変えてくれました。

わたしの仕事をもっと知るための3冊

詫摩佳代『人類と病――国際政治から見る感染症と健康格差』（中公新書）
ピーター・J・ホッテズ『次なるパンデミックを防ぐ――反科学の時代におけるワクチン外交』（詫摩佳代訳、白水社）
北岡伸一、細谷雄一（編著）『新しい地政学』（東洋経済新報社）

公衆衛生という仕事

三砂ちづる

みさご・ちづる＝疫学者、作家。津田塾大学教授。一九五八年、山口県生まれ。ロンドン大学でPh.D.を取得（疫学）。ロンドン大学衛生熱帯医学校研究員、JICA疫学専門家として、ラテン・アメリカをはじめとする世界各国での国際協力活動に携わる。主な著書に『オニババ化する女たち』『月の小屋』『女に産土はいらない』、訳書にパウロ・フレイレ『被抑圧者の教育学』などがある。

「臨床医学と基礎医学」

新型コロナ・パンデミックがはじまって以来、「公衆衛生」や「疫学」の専門家をテレビなどでよく目にするようになりました。私も公衆衛生を専門としてきました。公衆衛生とはいったいどんな分野なのでしょう。公衆衛生学者とはどんな仕事なのでしょうか。

公衆衛生とは集団の健康を研究したり実践する分野で、疫学はそのための測定道具です。具体的に日本で公衆衛生の仕事をしている代表的な方々は、都道府県ごとに設置されている保健所で働いている方々といえます。

人びとの健康や病気を扱う医学は、臨床医学と基礎医学という二つの分野に分けられます。具合が悪くなったとき、私たちは内科や外科、耳鼻科などの病院でお医者さんに救けてもらいます。そこで出会うお医者さんが臨床科医。私たち一人ひとりの体の具合を診てくれる先生です。他方、医学の分野でも患者さんを毎日診ているのではないひともいます。基礎医学といいますがウイルス学や細菌学、病理学、あるいは事故や事件で亡くなった方の死亡原因を調べる法医学という学問もあります。

集団の健康を相手にする公衆衛生は、日本では医学のうちの基礎医学のひとつに位置づけられるといえるでしょうか。具体的には、たとえば、ある高校に在籍している高校三年生女子生徒の貧血の割合などを調べる対象にします。喫煙と肺がんの発症には関係性があるのか、緑茶ががんの予防になるというのは本当か、といったこともテーマになりえます。東京都で本日何人の感染者が出た、沖縄では感染者が増加傾向などと報じられているとおり、いま起きている新型コロナウイルス・パンデミックはまさに集団の健康の問題、すなわち公衆衛生で取り扱う事柄なのです。

疫学という道具

疫学は、公衆衛生学で集団の健康を診断するとき、もっともパワフルな道具のひとつです。臨床医が血液検査や聴診器、さらには問診によってみなさんの状態を診断するのと同じように公衆衛生も診断道具を使うのです。

「疫学」の「疫」は感染症のことですから、もともと感染症の研究から発展してきた分野です。疫学の定義は疫学者の数より多いといわれるほどさまざまな捉え方があるのですが、いわばサッカーのコーチみたいな役割と思っていただければ良いでしょう。それぞれの医療に携わるプレーヤーは、工夫をこらしてボール＝一人ひとりを健康というゴールに入れる。どうやったら地域住民全体が健康になるか、ゲームの様子を一歩引いたところから見ているのが疫学者の役割というわけです。

疫学にもさまざまな分野があります。積極的疫学調査ということばを聞いたことがあるかもしれません。誰かが新型コロナに罹患したとなると、保健所の職員が会いにゆき、そのひとがいつ、どんなひとたちとコンタクトしていたか、どこに行っていたかなどを調べる。このように現場に赴き、データを取得する分野はフィールド疫学と呼ばれています。理論疫学という数学や統計学を利用して、感染症の流行がどのように推移するかなどを研究している分野もあります。

Covid-19のようにウイルスや細菌を媒介して伝染する感染症が専門の公衆衛生学者、疫学者たちがいまメディアによく登場しています。疫学という分野は、その名前のとおり、感染症の研究からはじまりましたが、いまでは多くの健康事象に応用されています。精神疾患の疫学、肝炎の疫学、がんの疫学などもあり、それぞれに専門の疫学者がいるのです。私はそのなかで、お母さんと赤ちゃんを対象とする母子保健▼の疫学を専門としてきました。

▼母子保健
母親とその子どもの健康の維持増進を目指す学問。妊娠出産をめぐる感染症予防から、栄養学、福祉政策まで多様な内容が含まれる。

最初の疫学者ジョン・スノウ

感染症の研究からはじまった近代疫学が生まれたのは十九世紀のことです。長い歴史をもつ人文科学、神学や文学、経済学などと比べれば、比較的新しい学問分野ということになります。その始まりにジョン・スノウというイギリスの学者がいました。一八五三年、ロンドンでコレラが流行したとき、スノウは流行曲線とスポット地図（**図1**）を作成します。それが近代疫学のはじまりとよばれています。

水様便と呼ばれる激烈な下痢をし、脱水症状を起こして衰弱して命を落とすコレラという病気は、経口感染します。便などに含まれたウイルスが、手などを経由して食べ物や水に移り、最終的に口に入ってしまって感染する。三十年くらい前にはまだ予防接種が必要とされる国が多くありました。今日（こんにち）ではだいぶ流行は抑えられてきていますし、治療もできますが、まだ犠牲になるひともいる病気です。

世界史などで、ドイツの細菌学者ロベルト・コッホによるコレラ菌の発見という出来事を勉強した方もいると思います。彼のもとには日本の北里柴三郎も留学しています。コッホがコレラ菌がコレラの原因であると証明したのは一八八三年のこと。しかし、スノウが流行曲線とスポット地図でコレラの流行を制圧したのはその三十年も前のことなのです。当時、何がコレラという病気

▼ジョン・スノウ
医師、麻酔科医。一八一三年生まれ。見習い修業のころ以来、数多くのコレラ罹患者の治療経験を積む。ロンドン・ソーホー地区でのコレラ制圧を称え、原因となった井戸の組み上げポンプがあった場所には記念板が埋め込まれている。ビクトリア女王が八女を出産する際にクロロホルムを投与した、産科麻酔の貢献者としても知られる。一八五八年没。

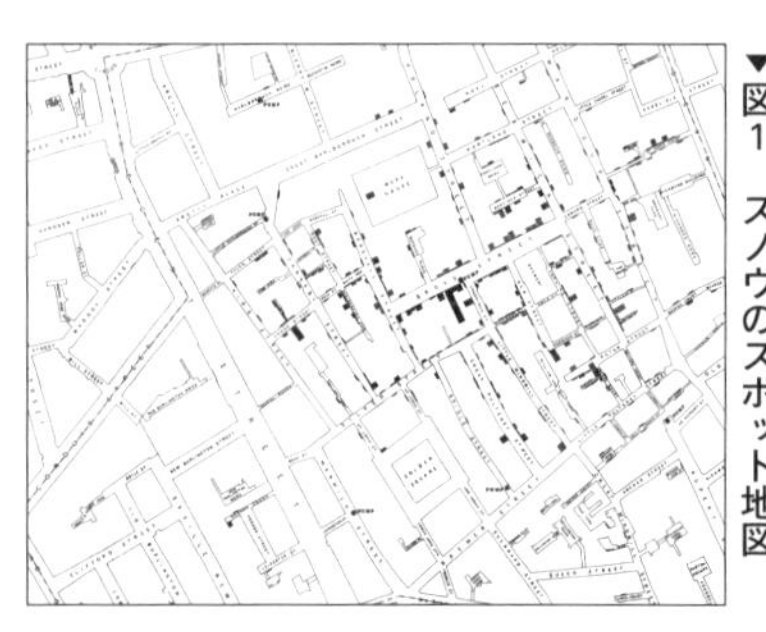

▼図1　スノウのスポット地図

を媒介しているかまだわかっておらず、湿気や汚れから生まれた瘴気（しょうき）やミアズマのせいだとか、空気で感染するなどと恐れられていました。

コレラが何を媒介して感染するかわからない。そこでスノウは死亡者のコレラ発症年月日を日々記録し、時間の推移で表した流行曲線と呼ばれる図をつくります。いま、世界中で誰もが日々目にしている新型コロナウイルス感染者数の推移を示すグラフと同じですね。さらに、コレラが流行している地区のどこで、何人の死亡者が出たのかを地図の上にスポットしてゆく図をつくりました。

この流行曲線とスポット地図で、死亡者が集中している時期と場所、いわゆる「クラスター」の存在を捉えることができるようになりました。そしてたくさんの感染者がいる地区をさらに調べ、ある井戸の水を飲んだひとがコレラに罹患していることを突き止めます。その井戸水が感染源だった。この水を飲ませないようにすることで、スノウはコレラの流行を制圧していったのです。

いまでもやっていることは基本的に同じです。たとえば食中毒が発生したとき、原因菌を特定するよりも前に、病因となっている食べ物をスポット地図などを利用して突き止める。それが保健所の公衆衛生の専門家が行っている仕事です。病原体がわからなくとも、病因となりうる物質がわかればその病気をある程度コントロールできるというのが疫学の考え方なのです。

▼ロベルト・コッホ
医師、細菌学者。一八四三年生まれ。コレラ菌のほか結核菌などを発見、細菌培養法を確立し近代細菌学の父と呼ばれる。ノーベル生理学・医学賞受賞。北里柴三郎のほかにもベルリン大学で世界的学者を多く育てた。一九一〇年没。

▼北里柴三郎
微生物学者。一八五三年生まれ。コッホに師事。破傷風菌の純粋培養、血清療法の開発などの業績を上げてノーベル生理学・医学賞の候補となった。帰国後もペスト菌発見、北里研究所設立など近代日本医学の発展に大きく寄与した。一九三一年没。

「国を越えて人びとの健康を扱う」

私が専門としている国際保健も、その公衆衛生の一分野です。国際保健には、「全世界的な立場でみた場合に、健康水準、保健医療にみられる国、地域間の違いや格差が、どの程度以上であれば容認し難いと考えるか、そのような違いや格差が生じたことにはどのような要因が関連しているか、さらにそれを容認できる程度にまで改善するにはどのような方策があるかを研究し、解明する学問」という定義があります。

アフリカの発展途上国や、ウクライナなどの戦争当事国で人びとの健康状態が悪化する。簡単に失われていってしまう命をどうやったら守れるか。集団的な人びとのあいだの健康状態の差を何によって測るのか、その健康状態の格差が一定以上に大きくなってしまったとき、どうやったら改善できるのか、それを研究・実践しているのです。人びとの健康状態を実際に改善してゆくには、現地で暮らす方々が受け入れることができる提案であることが必要です。その土地のことを学び、そこにある文化を破壊しないものでなければなりません。西洋の、先進国の視点になっていないかを考える必要もあります。グローバル化が進んだ今日ではある国や地域だけで対応できることばかりではありません。世界を一つ、と捉える視点も欠かせません。そのことは新型コロナウイルスのパンデミックで誰もが知ったと思います。

「公衆衛生は専門家集団からできている」

人びとの集団の健康を相手にするということは、特定の病気だけを診るのではありません。健康や医療に関連する制度や社会の仕組みを知り、そこで暮らす人びとがどのような行動をしているかをみてゆく必要があります。みんなマスクを着けましょう、「3密」[▼]にならないようにしましょう、というコロナ対策のスローガンをみると、公衆衛生の専門家たちが臨床医学よりも広い視点から集団の健康を扱っていることがおわかりいただけると思います。

このような視野を必要とする公衆衛生にはさまざまな専門家が欠かせません。経済学を修め、医療経済学者となって公衆衛生に携わるひとがいます。文化人類学を学び、医療人類学者として関わるひともいます。臨床医学の専門家だけでは足りないのです。公衆衛生は大きくいえば、医療のなかの一分野ですが、医学部を出たひとばかりでなく、社会科学や人文科学も含めたさまざまな専門家が集まって人びとの行動を研究している分野だということができるでしょう。

公衆衛生は基本的に、大学の学部ではなく、大学院で学ぶものだとされています。医学部を出て公衆衛生を学ぶひともいれば、私のように他の経験をしてから進学するひともいます。欧米を中心とする多くの国に、公衆衛生校という学校があります。私が学んだロンドン大学衛生熱帯医学校も医学部とは別に構えられた学校です。ちなみに日本では歴史的に公衆衛生が医学部のなかに置か

▼3密
新型コロナ感染症拡大初期の二〇二〇年四月、首相官邸と厚生労働省が掲げた。密閉・密集・密接を指し、換気やマスクの着用を呼びかけた。英語圏ではWHOが発信した3Cs (Crowded places, Confined and enclosed settings, Close-contact spaces) として普及している。

れていたのですが、二〇〇〇年以降、公衆衛生大学院大学設立の構想が打ち出され、東京大学や京都大学、私立では帝京大学などで公衆衛生校がつくられることになりました。

医療による国際貢献を志す方ならば、アフガニスタンで長く活動した中村哲▼さんのような医師の姿が思い浮かぶかもしれません。医学を修めたひともももちろんいますが、この分野には医師ではない方も大勢働いています。言語や文化、行動習慣や政治、さらには国際関係も関わってくる分野です。ちょうど文系と理系の中間にあるといってもいいかもしれません。みなさんが進路を考えるとき、そんな視点をもっていただけるとうれしいです。

▼中村哲
一九四六年生まれ、医師。戦火に苦しむ隣国アフガニスタンから膨大な難民が流入するパキスタン・ペシャワールで長くハンセン病を中心とする医療活動に従事。水源の確保が人々の暮らしを根本的に改善するとの考えのもと、アフガニスタンで一万五千ヘクタールを超える土地に対し灌漑事業を行う。『医者井戸を掘る』『医は国境を越えて』ほか著書多数。二〇一九年、凶弾に斃れた。

「私の歩んだ道」

このあたりで私がどうやって学んできたかをお話ししましょう。

私にもみなさんのように高校生の時代がありました（笑）。兵庫県のごく普通の公立高校で勉強しましたが、数学がすごく苦手だったにもかかわらず理系クラスを選んだのは、母のせい、というか、おかげというか。母は薬剤師という仕事にとても憧れていて、影響されたのです。化学は大好きでしたし、英語も好き。でも一番好きだったのは国語でした。文学部に進んで、源氏物語を研究し、将来は学校の国語の先生になりたいと思ったのですが……。そうなりませんでしたね。

ともあれ、進学先は京都薬科大学の薬学部を選びました。大学時代を過ごす街は人生に大きな影響を与えます。京都を自分にとって懐かしい街にしたかったので京都の大学を選びました。でも、単科大学のことは、よくわかっていませんでした。医療系の単科大学では必修単位も多く、時間割の自由も少ないし、キャンパスも狭い。国際保健の仕事をしたいと思い始めていましたが、薬学を学んでいた四年間、勉強に忙しかったですし、どうやったら実現するかもわかりません。それに私は世界のことをなにも知らなかった。

そこで大学に入り直そうと考えました。薬剤師の資格を取って働きながら、神戸大学の夜間の学部に編入し、経済学を勉強したのです。社会科学を学ぶ楽しみは神戸大学経済学部で知りました。教員免許も取り、このとき教えることの楽しさにも触れることができました。こうしていま、結局大学の先生になっているのですから、人生はおもしろいですね。

卒業後、しばらく働いたころ、やっぱり私は国際保健の仕事がしたかったのだと思い出し、青年海外協力隊に参加しました。このときにアフリカのザンビアで薬剤助手学校の先生をしました。二十五歳のころ。教えることは楽しかったのですが、公衆衛生を学ばなければダメだと思ったのもこのときです。どこで勉強したらいいのかわからなかったので、帰国後とりあえず東京の病院で働きます。二十七歳のとき、琉球大学の大学院で学べそうだと知って進学、さらに先ほど紹介したロンドン大学の衛生熱帯医学校に留学したときには二十九歳になっていました。英語ではものすごく苦労しました。

ロンドン大学の修士のコースが終わるころ、ソマリアでユニセフから仕事のオファーを受けたのですが、内戦が勃発してその仕事はあっという間に無くなってしまいました。研究資金と奨学金を得てブラジルで研究生活をすることになったのは三十一歳のときでした。ポルトガル語をなんとか学び、ロンドン大学に就職のポストを得てフィールドワークと研究を続けられることになり、それからブラジルで十年間を過ごしました。ＪＩＣＡのプロジェクトで日本のひとと一緒に働く機会などがあったのち、帰国。厚生労働省の研究所に赴任したときには四十二歳、さらに三年後に津田塾大学に赴任していまに至ります。

「裏」の履歴書

研究者の就職には、誰かが辞めてはじめてそのポストに応募できる空席公募という側面があります。望みの大学や研究所にすんなりと就職できるとはかぎりません。私の場合も、まっすぐな道のりではありませんでした。いろんな仕事をしながら、研究し続けてきた結果、本を書き、こうしてみなさんの前でお話しすることにもなったのです。

留学したり海外で働いたり、すごいなと思っていらっしゃるかもしれません。

でもここまで紹介したのは私の「表」の履歴書なんです（笑）。

沖縄の大学院に進んだのは、そのとき好きだったひとが沖縄に行きたいといったからでした。息子ふたりの父親となったひとがブラジル人だったから、そのひとと一緒に十年間もブラジルに住むことになった。帰国したのは、彼と離婚して日本でお見合い結婚をすることになったから。そんな具合に、私の人生には表の履歴書とはちがう側面もある。女性の方はとくに、結婚や妊娠・出産をどうしようか、不安があるかもしれません。でもプライベートと仕事はなんとなく補い合い、公私混同で進んでゆくものといえるでしょう。

公衆衛生、国際保健の分野で働くことは私のあこがれでした。そしてあこがれを持ち続けていたら、なんとなく扉がひらいていきました。私の経歴を紹介すると、そのときどきに携わってきた仕事や実績が大事なんだと思われるかもしれませんが、人生には表もあれば裏もあります。ひらいた扉に飛び込めるように、自分がいい状態でいることが大事なのではないでしょうか。

Q&A

——将来、研究者になりたいと思っています。大学と研究所ではどういう違いがありますか？

私が勤めているのは日本で最初の女子留学生のひとり、▼津田梅子が一九〇〇年に設立した▼津田塾大学です。この大学に限らず、大学の先生の仕事は三つ。

▼**津田梅子**
教育者。一八六四年生まれ。江戸幕府に外国通弁として務めていた父・仙により、山川捨松、永井繁子らとともに官費女子留学生に応募、十年間にわたりアメリカで学ぶ。二回目の留学で生物学を専攻、帰国後は女子高等師範学校などで教鞭をとった。一九二九年没。

▼**津田塾大学**
一九〇〇年、日本初の私立の女子高等教育機関として設立された。当初の名、女子英学塾のとおり英語教育に伝統がある。少人数教育を中心とするリベラルアーツ・カレッジとして、学問の仕方を広く学ぶことに力を入れている。メインキャンパスは東京都小平市。

教育、研究、そして入試などの学務です。研究所では、教育のウェートは低く、もっぱら研究に時間を使うことができる、というのが違いです。研究者の就職は簡単ではありません。多くの研究者は、チャンスがあったところで働いているというのがほとんどではないでしょうか。

わたしの思い出の授業、思い出の先生

Q1：思い出の授業を教えてください
Q2：その授業が記憶に残っている理由はなんですか？
Q3：その授業は人生を変えましたか？

中高ではなく、大学の授業なのですが、京都薬科大学で受けた出口勇蔵先生の「経済学」の授業が忘れられません。出口勇蔵先生は、マックス・ウェーバー研究の大家で京都大学を退官してから京都薬大で少しだけ教えてくださっていたのです。薬学部という単科大学の一般教養の授業ですから、たくさん受講生はいても、誰も興味をもって聞いていないような授業でしたが、私は一番前で、食い入るように聞いていました。社会科学というのはこんなにおもしろいのか、と世界が開かれるような思いがしました。

この先生の授業を受けたからこそ、薬学部を出てから、再度、経済学部に学士入学し経済学を学ぶことになります。それからは、理系と文系のあいだで仕事をしたい、と願うようになりました。公衆衛生、国際保健はある意味、理系と文系の間にあるような分野ですから、先生の授業を受けて、時間をかけて自分のやりたいことを探してきた、という意味で、私の人生を変えたといえます。

わたしの仕事をもっと知るための3冊

三砂ちづる『コミットメントの力――人と人がかかわるとき』（NTT出版）
パウロ・フレイレ『被抑圧者の教育学〔50周年記念版〕』（三砂ちづる訳、亜紀書房）
三砂ちづる『疫学への招待――周産期を例として』（医学書院）

社会学と移民が教えてくれたこと

髙谷幸

たかや・さち＝東京大学大学院人文社会系研究科准教授。専門は社会学・移民研究。奈良県出身。移民支援NGO勤務、岡山大学、大阪大学准教授などを経て現職。入管の問題や、移民とメンバーシップ、移民政策などについて研究している。著書に『追放と抵抗のポリティクス―戦後日本の境界と非正規移民』。編著に『移民政策とは何か―日本の現実から考える』『多文化共生の実験室―大阪から考える』。

「暗黒期」に社会学と出会う

私の専門は社会学で、日本に暮らしている移民のひとたちについて研究しています。今日は、私が社会学から学んだことをお話ししたいと思います。

私が中高生だった九〇年代は、冷戦が終わり社会が劇的に変化していた時代でした。世界中で紛争が起き、NGOの活動が広く一般に知られていったのもこのころです。一九九二年には、リオデジャネイロで国連環境開発会議▼（地球サミット）という国連の会議が開かれました。その会議に自分と同年代の若者が参加しているのをテレビで見て、将来は国際協力の仕事がしたい、そのために大学院で学びたいと思うようになりました。

ところが、私は大学受験に失敗してしまいます。浪人するという選択肢もあったわけですが、将来大学院に行きたいと思っていたので、なるべく早く大学に入学したほうがいいのではという気持ちや、受験勉強に飽きていたこともあって現役で大学進学したほうがいいかなと思いました。そして何よりも、浪人してまた受験に失敗するのは怖いなという恐れがありました。同時に、入学することになった大学は国際政治学や国際関係学のコースがあり授業が充実してそうだったので、それらを学ぶにはいい環境かなとも考えました。

ただ実際に入学して国際関係の授業をとったら、自分が期待していたほどには面白いと思えなかったことは誤算でした。日常生活でもうまくいかないことがあって、そうすると、自分が受験の際に、再度チャレンジしないで逃げてしまったことを責める思いも強くなっていきました。こうして、あらゆることにやる気をなくしていってしまいました。ちょっと大袈裟かもしれませんが、人生の「暗黒期」といえる時期だったように思います。雑踏のなかで「いま自分が消えてしまっても、誰も気がつかないのではないか。そんな自分が存在する意味はあるのか」といったことを考えることすらありました。そんなとき、たまたま一般教養の授業で知ったのが社会学という学問です。

同時期に、見田宗介さんの『まなざしの地獄』という本を手にとりました。見田宗介さんは戦後日本を代表する社会学者で多くの著作を残されていますが、『まなざしの地獄』は永山則夫という、一九六〇年代末に起きた連続射殺事件の犯人の人生について書かれたものです。永山は北海道の貧困家庭に生まれ青

▼国連環境開発会議
一九九二年六月に、「持続可能な発展」をスローガンに、ブラジルのリオデジャネイロで開催された国連会議。国連加盟国のなかから一七二カ国の代表団が派遣されたほか、NGOの代表者らも参加した、地球規模のパートナーシップを構築することを目指した。この会議で「環境と開発に関するリオ・デ・ジャネイロ宣言」や、この宣言を具体的に実施するためのルールとして「アジェンダ21」などが採択された。

▼見田宗介
一九三七年生まれ、社会学者。東京大学教授、共立女子大学教授を務めた。その著作は、個人の意識や実存を、歴史や社会の構造との関係性のなかでとらえようとするものである。晩年には『現代社会の理論』などで、現代資本主義がもたらした光と影について考察した。真木悠介

森で育ち、中卒で上京します。彼は自分の人生を変えるのだという強い野望をもっていたのですが、周囲から差別され排除され、次第に追い詰められてゆきます。この事件を引き起こしたのは、単に永山個人の人格の問題ではなく、所属や出身によって個人にレッテルを貼る「社会のまなざし」であることを見田さんは明らかにしたのです。

この本が非常に印象的だったのは、個人の出来事が社会の問題とどのようにつながっているのかを鮮やかに示しているからです。そもそも社会学とは、アメリカの社会学者ライト・ミルズ▼が「社会学的想像力」ということばで表しているように、歴史を縦軸、社会のなかで生きるひとたちの関係性を横軸として、両者の交わるところにある個人の生活を想像し、理解する学問なのです。

私はこの本を読んで、自分がいま生きていることの苦しみや挫折感が学問の対象になるのか、と目が開かれる思いでした。もしそうなら、自分が抱いているこの苦しみや違和感も、社会的な問題として考えることができるのかもしれない、と。これは当時の私にとっては救いのようなもので、社会学にのめり込んでゆくきっかけになりました。

の筆名でも活動し、『気流の鳴る音』『時間の比較社会学』『自我の起源』などを発表している。二〇二二年没。

▼ライト・ミルズ
一九一六年生まれ。アメリカの社会学者。コロンビア大学教授を務める。アメリカ社会の支配構造を批判的に検証し、のちのラディカル社会学のはりしとなった。著書『社会学的想像力』は二十世紀社会学の古典として読み継がれている。一九六二年没。

「ナショナリズムとネーション」

「社会学」は非常に多岐にわたる学問で、対象とする範囲もさまざまです。たいます。

とえば、文化研究をするひともいれば、格差や貧困、高齢化を研究するひとも

そのなかで、私がはじめに興味をもったのは「ナショナリズム」というテーマでした。ナショナリズムを一言で説明するのは難しいのですが、一般には「民族国家の統一・独立・発展を推し進めることを強調する思想または運動」（広辞苑第七版）などと定義されています。

ナショナリズム研究に新たな局面を切り開いたとされているのが、政治学者ベネディクト・アンダーソンです。アンダーソンは、著書『想像の共同体』のなかで、ナショナリズムは「運命性を連続性へ、偶然を有意味なものへと、世俗的に変換する」ものであり、「国民の観念ほどこの目的に適したものはなかったし、いまもない。（…）偶然を宿命に転じること、これがナショナリズムの魔術である」といっています。これは、どういう意味でしょうか。

前提として、アンダーソンは、国民や民族を確固とした実体のあるものとしてではなく、「想像」されたものとして捉えています。中世以降、個人に「生きる意味」を与えてきたのは「宗教」でした。人生は偶然の出来事の集積ですが、こうした偶然に宗教によって理由が与えられたとき、それは宿命として受け入れられるようになります。しかし、十八世紀に宗教的な思想様式が衰退していき、この宿命性を説明できるものがなくなってしまったのです。

その代わりになったともいえるのが、「ネーション」という観念です。「ネー

▼ベネディクト・アンダーソン
政治学者。一九三六年生まれ。コーネル大学教授を務める。タイやフィリピン、とくにインドネシアをフィールドとし、文化と政治に関して世界規模の比較歴史的研究を行った。著書『想像の共同体』はナショナリズム研究に新たな地平を切り開き、これによってアンダーソンは世界的な評価を得た。二〇一五年没。

▼運命性を連続性へ
ベネディクト・アンダーソン『定本　想像の共同体　ナショナリズムの起源と流行』（白石隆・白石さや訳、書籍工房早山、二〇〇七年、三四ページ）。

ション」は、一度も会ったことがない人びとに同じ共同体で生きているような感覚をもたらします。搾取や格差がある状況であっても、すべてのひとが平等であるような、水平的なイメージをつくりだします。自分個人の人生は終わったとしても共同体は存続していく、自分には居場所があるのだと。

アンダーソンはこれを「ナショナリズムの魔術」と呼びます。この魔術は、自分が所属する場所があるという安心感をもたらす一方で、影の側面もあります。たとえば、その魔術によって戦争で人びとが殺しあったり、自らすすんで命を落とす人が出てきたりします。

このナショナリズムの問題は、私が抱いた「自分が存在する意味はあるのか」という問いとつながっているように思いましたが、理解できない部分もありました。私は日本人として生まれ育ってきて、日本人意識をもっていることは確かです。それでも、自分がいまここにいる意味をネーションは与えてくれるようには思えなかった。それはなぜなのか、と考えはじめました。

「よそ者」の視点から見えてくるもの

そんなときに出会ったのが、ハンナ・アーレント▼の本です。アーレントはドイツのユダヤ系家庭に生まれ、ナチス・ドイツから逃れてアメリカに亡命しました。その経験を踏まえて戦後、『全体主義の起原』『パーリ

▼**ハンナ・アーレント**
ドイツ出身の哲学者、政治思想家。一九〇六年生まれ。ナチ政権成立後、アメリカへ亡命し、バークレーやコロンビア大学などで教鞭を執る。『全体主義の起原』では、ナチズムやソ連共産主義という全体主義の構造を、歴史的な資料や文学、哲学などの議論もふまえて分析した。他にも『人間の条件』や、ホロコーストの責任者のひとりであるアイヒマンの裁判を扱った『エルサレムのアイヒマン』などの著書がある。一九七五年没。

アとしてのユダヤ人』などの本を世に出しました。アーレントは、亡命者あるいはユダヤ人という、マイノリティ側からの視点で国民や国家を分析しました。アーレントは、国家のメンバーが、血統や歴史、文化を共有していると信じている人で構成されるべきという考えの危険性を述べています。たとえば、ドイツ国家に住めるのはドイツ人だけとなると、アーレントのようなユダヤ人は生きる場所を失うのです。国家の構成員が多様であり、そのひとたちが共同で運営できる国家もしくは政治共同体をつくることができれば、多様なひとが生きやすくなる。そのことをアーレントは身をもって知っていました。

人権は本来国家とは関係なく、人が生まれながらにもっている権利ですが、当時、人権を保障してくれるものは国家しかありませんでした。しかし国家による人権保障の対象が国民に限られれば、マイノリティは置き去りにされます。ときには「国家の敵」とみなされることすらあります。

このように、共同体メンバーではない者の視点から見ることを、社会学的には「よそ者の視点から見る」といいます。この「よそ者」という言葉を使ったのは、哲学者で社会学者のゲオルク・ジンメル▼です。彼は「よそ者」を「今日来て明日留まる人」だといいました。「よそ者」は空間的には近くにいるけれど、社会的には遠い距離にいる。社会学にとって、これは重要な視点です。なぜなら、社会学は社会の仕組みを知るための学問であり、そうした仕組みはそれをあたりまえに受け入れているひとには見えにくいものだからです。

▼ゲオルク・ジンメル
哲学者、社会学者。一八五八年生まれ。社会学の創始者のひとりで、社会は人々の相互作用からなると考え、その社会化の形式を分析する学問として「形式社会学」を提唱した。また、デュルケムやベルクソンとならぶ、「生の哲学」の系譜にも位置付けられている。一九一八年没。

よそ者が共同体に入ると、その集団のルールや生活様式のおかしさに気がつきます。その点は、マイノリティも同じです。たとえば、男性グループのなかに女性が一人いたら、「男性の視点はじつはあたりまえじゃないのでは？」という視点が生まれますよね。ある集団に内在し、その構成員でありながらも、同時に外側にいて、その集団に立ち向かうこともある。マイノリティには、マジョリティの要素に疑いを向け、客観的な態度で世の中を見ることが可能なのです。

こうして学ぶうちに、マイノリティたち、つまり「排除される側」の視点から、世の中がどう見えているのかと気になってきました。これが移民・難民の研究に関心をもったきっかけです。

「移民の人たちの視点で常識を疑う」

実際に日本に住む移民・難民の生活を知ると、自分のマジョリティ性や、この社会の常識が揺さぶられます。

たとえば、ある保育士の方が書いた文章から考えてみましょう。タイトルは「まぜないで」。一、二歳くらいの子どもに食事を教える様子が書かれています。

クラスにベトナム人の子どもがいるのですが、その子は給食のごはんにお汁を混ぜて食べます。日本では行儀が悪いとされているから保育士はやめさせようとする。ですが、母親に聞くと家ではむしろ混ぜて食べさせるのが普通だし、自分もそうやって食べるという。日本で行儀が悪いとされていても、国が違えばそれが当たり前なのです。この方は、給食と家での食事のルールを分けるようにと指導したそうですが、もし自分がその立場だったら、どう教えるでしょうか？

もうひとつ、同じような話がありました。在日のフィリピン人のコミュニティでお花見をしたとき、女性たちがバナナの葉っぱの上にご飯やおかずを載せて手で食べていました。彼女たちの多くは日本人と結婚していて、普段の食事は日本式で、お箸などを使って食べています。「フィリピンの食べ方は汚い」といわれたことすらあるそうですが、「手で食べたほうがおいしい」と彼女たちは話します。

これは「文化の多様性」と簡単にいい切れる問題ではありません。日本人の夫と外国人の妻というジェンダーの力関係と、日本人と外国人というルーツや国籍に関する力関係とが透けてみえます。日本に住む海外ルーツのひと、特に非西洋圏出身のひとたちに対して「郷に入っては郷に従え」と、マジョリティ側の常識を強制することはしばしばみられます。

もともと食事というものは、歴史的、社会的な力関係と強く結びついています。たとえば、フォークやナイフ、スプーン。これらが使われるようになったのは、近代において西洋文化が「優れたもの」として捉えられ、非西洋文化圏に輸入された歴史があるからです。しかも、植民地時代に持ち込まれた文化は、植民地支配が終わったあとも続いています。こうした帝国主義や植民地主義の継続性に着眼する考え方を「▼ポスト・コロニアリズム」と呼びます。

これはなにも西洋に限ったことではなく、日本に暮らす私たちにも関係のある話です。自分たちの慣習や考え方も、単に古い常識がそのまま残っているだけだったり、じつは差別的なことが「あたりまえ」とされていたりすることがあります。常識が歴史的に、あるいは社会のなかでどのような意味をもち、人びとに影響を与えてきたのかを考える必要があるのです。これはまさに、冒頭でお話しした、「個人の生活史を、歴史のなかで捉え直す」というミルズの視点そのものです。

▼**ポスト・コロニアリズム**
一九八〇年代に提唱された概念。文化などに着目し、植民地支配に起因する認識や思想が、植民地の独立以降にも継続し、植民者と被植民者の間の支配従属関係を再生産させていることを明らかにした。もともとは、インドのサバルタン研究から始まったが、西洋によるオリエントのまなざしを批判したエドワード・サイードや、精神分析の理論を用いて黒人の抑圧を描き出したフランツ・ファノンなどの思想とも結びつき、発展した。

個人の営みが社会を変える

個人の人生がどれだけ歴史や社会から影響を受けているか、というお話をしてきましたが、人間はただ歴史や社会に翻弄されるだけの存在ではありません。たとえば、移民・難民の人たちは、単に日本の常識に従うのではなく、日常の営みから常識を変えようと試みてもいます。たとえば、あるフィリピンの方は「なぜ手で食べるの？　手で食べるのは汚いよ」といわれたとき、「日本人もお寿司は手で食べるでしょう？」と切り替えすそうです。フィリピン人たちのコミュニティが主催したお花見のように、休みの日は自分たちらしく手で食べられる場所をつくったりもします。マジョリティのなかにいるとき、そのままの自分として生きるのはとても難しい。ですから自ら、自分らしく生きられる場所をつくり出そうとするのです。

同時に、マジョリティ側に働きかけることで、みんなが生きやすい社会をつくろうとする試みもあります。たとえば、移民や難民たちの文化を知らせるフェスなどがこれにあたります。フェスでは彼らの料理やアクセサリーなどの製物が販売され、出店者とお客さんの交流の場にもなっています。また、フェスに限らず、多文化交流イベントを催している自治体も多くあります。

このように個人や集団の営みによって、社会を変えていくこともまた可能なのです。このことを、私は移民・難民のひとたちから学びました。

もう一つ、私が彼らから学んだことは、失敗してもまたチャレンジすればいいという考え方と行動です。移民や難民の人たちがこの社会で生きていくにあたっては、まだまだ多くの障壁があります。それは法律や制度だったり、先ほどふれたような、この社会で「あたりまえ」として通用している差別だったりします。そうしたなかで、移民や難民の人たちは、色々なチャレンジをしながら生きていますが、一見すると「失敗」にみえることも少なくありません。でもそうしたときに、彼らはまた別の方法で、トライします。それを繰り返すうちに希望がみえてくることがあるのですね。たとえば、お店を開きたいとずっと思っていて、試行錯誤して最終的に自分で開いたとか、家族をずっと日本に呼び寄せたいと思っていて、色々な方法を探して最終的にその夢を実現したとか、そのような話を数多く教えてもらってきました。私は、冒頭に話したように、自分の失敗から逃げてしまった経験があるのですが、移民や難民の人たちの生き様をみていると、失敗しても逃げずに、もう一度自分ができることからやっていくこと、その強さや尊さを何度も感じました。たとえうまくいかなかったとしても、やらないで後悔するよりはずっと意味があることなのだと、いまでは思います。

みなさんも、ぜひ失敗を恐れず、自分がやりたいと思ったことに挑戦してみてください。同時に、社会で生きるにあたって自分の違和感を大事にし、その違和感がどこから来るのかを考えてみてください。自分がしんどいと感じていることも、自分一人だけの問題ではないことに気づくかもしれません。そうした違和感を周囲のひとと共有することは、社会を変えるきっかけになるかもしれません。

Q&A

——これからの移民の研究をとおして、髙谷先生は何をされていくのか教えてください。

ひとつは、日本における出入国在留管理庁（入管）の問題について他の研究者たちと共同で本をつくっています。二〇二一年にウィシュマ・サンダマリさんというスリランカ人の女性が名古屋入管で亡くなりました。ウィシュマさんは収容中に体調不良を訴えたにもかかわらず、入管職員は彼女に適切な治療を受けさせず放置したのです。このような非人道的な入管の実態は近年問題視されていますが、抜本的な改善はなされていません。

もうひとつは、今日お話ししたフィリピンの方たちからお話を伺い、彼女たちがこれまでどうやって生きてきたのか、また生きる場所、帰属の場所をつくるとはどういうことなのかを考えています。こちらもいずれは本にしたいなと考えています。

わたしの思い出の授業、思い出の先生

Q1：思い出の授業を教えてください

中学・高校で教わった落葉典雄先生の地理の授業。

Q2：なぜ記憶に残っているのですか？

先生の旅行の話などにもふれながら、それぞれの地域の特徴や課題を学べる授業だったため、田舎の中高生にはリアルでした。

Q3：その授業は人生を変えましたか?

この授業だけではないですが、失敗も含めて中学・高校での経験が人生の糧になっている面はあるかなと思います。

わたしの仕事をもっと知るための3冊

髙谷幸『追放と抵抗のポリティクス——戦後日本の境界と非正規移民』（ナカニシヤ出版）

髙谷幸編著『移民政策とは何か——日本の現実から考える』（人文書院）

髙谷幸編著『多文化共生の実験室——大阪から考える』（青弓社）

第3章

新しい消費で未来を変える

キッチンの窓を開けて
食の未来を探しに行こう

枝元なほみ

えだもと・なほみ＝料理研究家。一九五五年生まれ。明治大学文学部英米文学科を卒業後、劇団転形劇場の研究生として役者をしながら、東京都中野区の無国籍レストランに八年勤務。八八年から料理家としてテレビや雑誌で活躍。社団法人チームむかごを設立し、農業生産者をサポートする活動も行っている。著者に『カット野菜のおかず――ムダなし、ゴミなし、超カンタン！』『クッキングと人生相談――悩みこそ究極のスパイス』『枝元なほみのリアル朝ごはん』など多数。

「食べることは生きること」

普段は料理を仕事にしています。今日は糸のような千切りや、粉のようなみじん切りなどの熟練の技をお見せできないのが残念ですが（笑）、しばしお付き合いください。

唐突ですが、質問です。最近食べておいしかったもののうち、死ぬ前に食べたいものは何ですか？

――小籠包！　スープが飛び出るのがおいしかった！

――最近食べたなかでは、お弁当に入っていた、お母さんが作った鶏の照り焼きです。鶏肉とタレが絶妙に絡み合ったところがおいしかった!
――味の素の餃子です。休みの日には、ほとんどこれです。
――セブンイレブンの牛丼です。レンジでチンして熱々のところを食べると最高です。
――おじいちゃんの育てたトマトです。死ぬ前に食べたいです。

みなさんありがとうございます。死ぬ前に食べたいのなら、おじいちゃんにはうんと長生きしてもらわなければいけないですね。たくさんおいしいもののことを聞かせてくださって、みんなが元気な証拠ですね。

人間の体の細胞は、三ヶ月くらいで入れ替わるといいます。つまり私たちの体は何日か前、何ヶ月か前に食べたものでできているのです。みなさんがおいしかったと聞かせてくれたその食べ物たちが、いまの体を作っています。

昔、ある料理人の方が若者に対して苦言を呈していました。若者と食事に行くときに何を食べたいかを尋ねても「何でもいいです」と答えることに対して、がっかりしていたのです。若者も本当に何でもいいわけではなく、目上のひとがもしかしたら奢(おご)ってくれるかもしれないと遠慮しただけかもしれませんが。

しかし本当に食べたいものが浮かばないひとが多いとしたら残念です。食べたいものがあるということは、前向きに生きていく力と密接につながっているからだと思うからです。

みんなはいまを生きていて、食べものが食べられないということをあまり想像できないのではないかと思います。だからこそ先ほどは「死ぬ前に」という条件をつけて質問しました。

世界ではまだ、食べたいときに食べられない、飢えと隣り合わせの国がたくさんあります。むしろ、そういった国でのほうが、何を食べたいかがとても明確な子どもたちに多く出会いました。ネパールの地方に行ったとき、道を歩いている子どもに「何を食べたい?」と質問をすると、みんなすぐに答えてくれました。それも「夏みかんに塩と唐辛子をかけて食べたい」「そこの角にある店で売っているビスケット」など、とても具体的です。そういう子たちに「大きくなったら何になりたい?」と聞くと「妹が病気だからお医者さんになりたい」「お父さんから水牛を二頭もらってあそこで畑を作りたい」と、やはり具体的です。自分がこれから生きていく姿をはっきりと描いているのです。

物質的に豊かな暮らしを続けていると、お洒落をしたいだとか、流行の音楽を聴きたいだとか、他の欲望にまぎれて、食べることが生きるうえでの要(かなめ)であると忘れてしまいがちです。それでもやはり「あれを食べたい」と思うことは、自分が生きていく未来を描くことです。そして「食べたい」と思うためには、過去のおいしかった記憶が必要です。

「お母さんが弁当に入れてくれた鶏の照焼きがおいしかった」「おじいちゃんの育てたトマトがおいしかった」「自分で焼いた味の素の冷凍餃子がおいしかっ

た」という記憶があれば、それだけで生きていく上での底支えになります。勉強ができなくて、朝起きられなくて、運動もちょっと苦手、宿題もサボりがちだけど、「餃子を作って、自分で食べて、それがおいしかった！」といえるのなら、生きる力を持っている！と思えて、私、褒めたたえたいです。

そして何より、ほかのひととおいしかったものの話をすると、相手がぐっと身近に感じられます。私は相手の名前や職業をなかなか覚えられないのですが、「好きな食べ物は何ですか？」と聞くようにしています。そうするとトマトが好きなひと、お寿司が好きなひととすぐに覚えてしまうのです。どんな情報よりも、そのひとのことがよくわかる気がします。

ちなみに詩人の谷川俊太郎▼さんはアボカドが好きだとおっしゃっていたのが記憶に残っています。

「インスタントは本当に便利？」

またまた突然の質問ですが、硬度計で計ったときに、世界で一番固いとされる食べ物はなんでしょうか？　答えはかつお節です。かつお節の削る前の形を見たことがありますか？　普段は削ったものを使っている方が多いと思いますが、削る前は流木のような形をしています。

かつお節も元々は海に泳いでいるカツオから作られたものです。例えばお刺

▼谷川俊太郎　詩人。一九三一年生まれ。五二年に第一詩集『二十億光年の孤独』を刊行。以来二千五百篇を超える詩を創作、海外でも評価が高い。二〇一七年度の桐光学園訪問授業にも登壇。

身にさばいたカツオを放っておけば二、三日で腐ってしまいます。それをカチカチの長持ちするかつお節にするために、昔のひとは工夫を凝らしました。

まずはカツオの頭を落としてお腹を開き、内臓を取り除いたのち、骨と身の三枚におろし、さらに皮と骨をよけながら半身を縦に切り分けます。切り分けたうち、背側の身を雄節（おぶし）、腹側を雌節（めぶし）といい、かつお節にはどちらも使います。これを蒸すか茹でるかして火を通し、そこにカビをつけます。カビは水分を奪って成長していくので、どんどんカツオの身が固くなっていきます。カビがたくさん出てきたら、その部分を削ってカビをまたつけてというのを繰り返して、カチコチのおいしいかつお節が出来上がります。昔は八回繰り返したそうですが、いまは技術が上がったので三回ほどカビをつければよくなったそうです。

そうやって世界で一番固い食べ物が出来上がります。長持ちさせるための工夫に加えて、発酵していく過程で、うまみも出てきました。それからかつお節を使って出汁をとるようになっていったのです。

かつお節はとても便利です。削ってそのまま食べることもできます。そのままお湯に入れたら出汁も出ます。西洋料理の出汁のように、鶏の骨や野菜を何時間も煮込む必要がありません。そう思うとかつお節は先祖の工夫が生み出した、無添加のインスタント食品です。

それなのに、かつお節で出汁をとることに手間がかかるイメージがあるのはなぜでしょう。インスタントの顆粒だしのCMを見ると、綺麗なお姉さんがとても購買意欲をそそる感じで「だしの素をポンと入れるだけ」とアピールしていますが、それはかつお節も同じです。

私たちはついつい広告の言葉にのせられて、新しい食品のほうが「便利」という刷り込みをされてしまいがちです。でもかつお節のような昔からの食べ物のなかに、知恵と工夫の賜物(たまもの)があることを忘れないでくださいね。

「チョコレート作りから見えた流通の問題点」

チョコレートは好きですか？　チョコレート、おいしいですよね。お店の棚に並んだ各種チョコレートのパッケージはお馴染みでどれにしようか迷うけれど、その材料がどんなもので誰が作っているか、どのようにして私たちの手元にやってくるのかまではあまり考えないかもしれません。チョコレートは、そのおいしさゆえにコーヒーや砂糖、バナナやサトウキビなどと同様、過去には植民地・プランテーション▼での搾取や、児童労働を含めた労働や環境などが問題となってきました。そんな中、近年は環境に優しく、原料の生産者に適正な金額が支払われるようなフェアトレードへの意識も高まってきました。

ある時私は、インドネシアのスラウェシ島▼という熱帯の島に、カカオの取材に行きました。

チョコレートの原料であるカカオは、赤道から南北緯度二十度以内の、平均

▼プランテーション
熱帯・亜熱帯地域において、単一作物のために開発された大規模農園、もしくはその手法のこと。植民地主義によって推進され、植民地側から宗主国もしくは他の先進国に輸出することを目的として開発されてきた。お茶、コーヒー、カカオ、バナナ、サトウキビ、天然ゴムなど取引価値の高い作物が中心。労働者への搾取や、大規模な開発による環境破壊が問題となっている。

▼スラウェシ島
インドネシア中部、赤道直下に位置する島。四つの半島が連なり、K字状を成している。面積は約十七万平方キロメートルで、島としては世界第十一位、インドネシアでは第四位の大きさ。高い透明度の海に美しい珊瑚礁を誇り、ダイバーにも人気のスポット。

気温が二十七度以上の高温多湿な地域で育ちます。色は違いますけれど、パパイヤのような形。小さな白い花が授粉して、採取できる熟した赤い実になるまでは半年かかるそうです。そのカカオの実の中には白い果肉で覆われたカカオの種子が入っています。その種子が、カカオ豆と呼ばれるチョコレートの原料です。まず、その白い果肉ごと、木箱に入れて蓋をし三~五日かけて発酵させます。この発酵によって、独特の酸味や香りが生み出されます。スラウェシ島では、この発酵過程は機械化をせずに、大きな木のヘラで一日に一度、ひとの手によって様子を見ながらかき混ぜています。その後、種子、つまりカカオ豆を乾燥させて粒をよりわけ、なめらかにすりつぶしたものがカカオマス。これに、カカオバター等の油脂や砂糖を加えて、ようやくチョコレートになるというわけです。

砂糖作りも見に行きました。小さなバイクしか通れないジャングルの中の凸凹道の奥で、おばあさんと二人の息子がパームシュガーを作っていました。環境に負荷をかける大規模なプランテーションではなく、ジャングルの中、さまざまな木々の中で自生するパーム椰子から樹液をとってその場で、大きな鉄鍋で煮詰めるのです。なんだか感動的でした。煮詰める際の燃料は椰子の殻です。煮詰めた樹液をこれまた、中身をくり抜いた椰子の実の殻に入れ、固まったらポンと出します。そうすると、お椀型の茶色い砂糖の塊ができます。これを持ち帰って、細かく削ったものがパームシュガーです。

こんなふうに、生産者と出来上がるものがすごく近い環境にあるのを見てきたのち、せっかく来たのだから、と言われてチョコレートを作ることになりました。大変でした。でも温度を調節したり、色やツヤなどの様子を見ながら作っていく作業は、機械まかせでできるものとは違う、食べ物の根幹のところに触れたような気がしました。

こうして生産している人の顔が見える原料から手間暇のかかる工程を経て、チョコレートが出来上がりました。企画した人がアマゾンで売ることを提案してくれて、調べて私、すごく驚きました。売値の約四割近くをAmazonが持っていくのです。

流通にのせる、商品にする、そのための経費が、一番大きい金額になるって一体、どういうこと?と思いました。ネットで注文すれば簡単に手に入る、配達してもらえる。でもそのチョコレートは、カカオの木を管理し、半年かけて実ったものを集めてから、実を混ぜて発酵させ、洗って乾かし選別して、とたくさんの人たちの手間を経てやってきたものです。

砂糖を作っていたおばあちゃんの可愛い笑顔も思い出しました。そしてああでもない、こうでもないと試行錯誤を繰り返して、小さな規模でチョコレートを作っている私とスタッフたちとのやりとりも思い出しました。

そんなこんな、一人ずつの作り手の顔をすっ飛ばして「商品」となったチョコレートは、どうやって売るか、プラットフォームを作った人たちの利益のたねになっていく。

リアルな食べ物を作る側の利益よりも、今どきの「便利」を追求する側が、多くの利益を持っていく、これでは手や体を動かして、額に汗して働く気が失せてしまいます。「やってられないっ」と思って私、Amazonでの販売をすっきりやめました。なぜ私が、世界一、二を争う大金持ちのAmazonの社長を儲けさせるべく、やすい賃金で働かなくちゃいけないのか、と思っちゃったわけ。「便利」の裏で進行しているものが何かを考えると、私は生産や流通が人の顔の見えるような規模であったところに戻ることを考え始めました。

大量生産と大量消費の後に来るのは、大量廃棄ではないかと思います。ちょうどいい規模で作り、誰かの利益のために無駄に捨てられるものを生まないような、食べ物をめぐる社会のあり方を考えていきたいです。

自然がなければ食べ物もない

「便利、安い」といえば思い出すものに、発泡スチロールのケースに入った納豆があります。タレもからしも入っていて、パックに入れて混ぜればお皿もいらなくて便利です。でも、三パック百円前後の納豆では、中身の納豆よりも外側の発泡スチロールの容器のほうが高いのです。私たちが「便利、安い」と思って買っているのは、じつは納豆ではなくて燃えないゴミなのかもしれません。

発泡スチロールのケースは石油を原料としています。一度作ったプラスチックは分解されにくいだけでなく、形成時、焼却時に発生する温室効果ガスの問題もあります。二酸化炭素の発生は廃棄時の焼却によるものだけでなく形成時によるものも多いようです。

さらに問題視されているのが海洋環境への影響です。海へ流れ込んだプラスチックごみが海洋環境を汚染し、生態系を乱しています。生き物たちがプラスチックを誤って食べたり、体にプラスチックが絡み付いて死んだり傷ついたりしているのが多く発見されるようになったのです。毎年約八〇〇万トンものプラスチックごみが海洋に流出しているといわれ、二〇五〇年には海洋中におけるプラスチックごみの重量が、魚の重量を超えるという試算も出ています。有害なプラスチックごみを取り込んだ魚を食べることで、人体にも影響が出る可能性もあります。

私たちがこのような消費生活を続けていくと、地球が二個あっても三個あっても足りないといわれています。確かに便利なことはありがたいです。便利さや生産性を追い求める価値観がなかったら、人間社会はここまで発展することもありませんでした。

でも、このまま環境破壊が進めば、どうなってしまうでしょうか。私たちが食べているものはすべて自然から生まれてきます。私たちはどんな食べ物を選ぶのか。そのときに値段だけではなく、作られる背景まで考えたいものです。

▼食料自給率
農林水産省によると、食料自給率とは「国の食料供給に対する国内生産の割合を示す指標」。数値の示し方については、単純に重量で計算する品目別自給率と、食料全体について共通の「ものさし」で計算する総合食料自給率の二種類がある。総合食料自給率は、熱量で換算するカロリーベースと金額で換算する生産額ベースがある。

「AIはかぼちゃひとつも作れない」

私は飽食ともいわれるいまの日本に背中合わせで、飢餓の心配があるのではないかと思っています。

▼食料自給率という指標があります。簡単にいえば国内の人びとが食べているもののうち、どの程度が国内産でまかなわれているかを表す数値です。

日本の食料自給率はどのくらいでしょうか。生産額ベースで考えるものと、カロリーベースで考えるものとがありますが、二〇二一年度は生産額ベースでいうと六三パーセント、カロリーベースになると約三八パーセントといわれています。私たちは一日だいたい二〇〇〇カロリーを摂りますが、そのうち一食分程度の七六〇カロリーしか国内でまかなえていません。

この数値は他国と比べても低いです。アメリカは一〇〇パーセントを超えていますし、カナダは約一五〇パーセント、オーストラリアやニュージーランドは二〇〇パーセント台です。EUではドイツ九〇パーセント台。イギリスで七〇パーセント、イタリアはやや低いですが五〇パーセントを超えています。そしてシャネルのようなハイブランドのイメージが強いフランスは、小麦などの生産も盛んで一三〇パーセント。世界的に見ても、内戦や戦争が起こっていないにもかかわらず、日本の数値が低いのは異常です。

輸入をすればいいと思うひともいるかもしれませんが、戦争が起こってしまえば船や飛行機が止まり、輸入ができなくなってしまう可能性もあります。そうなれば、コンピュータもデータも、自動車も武器や弾薬も食べられません。私たちはどこかで、お金があればなんとかなると思ってきてしまったのではないでしょうか。自国が得意な機械や自動車などでお金を稼げば、他国から安価な食べ物を買えるのでむしろ都合がいいとすら捉えてきたかもしれません。

食べ物を自国で作ることができていたら、国がどんな窮地に陥ったとしても国民のことを養うことができます。いま、ロシアがウクライナに侵攻して、戦争になっています。ウクライナの国土には▼チェルノーゼムという豊かな土があり、穀物が多くとれました。でも、自国民を養う食料生産がない国では、有事の際は飢餓へと進んでしまうのではないでしょうか。

現在のように、お金さえあれば食べ物に困らないという暮らしができるようになったのは、人間社会の歴史でいえば最近のこと、現代になってからです。歴史を遡れば、食べ物がなくて死んでいった人びとがたくさんいます。日本では昭和時代にも飢饉が起こりましたし、ロシアやドイツでもおよそ百年前には凄まじい飢饉が起こって膨大な命が失われました。

いまこそもう一度危機感をもったうえで、食べ物を失わないためにはどうしたらいいかを考えるべきだと思います。これからはＡＩの時代だといわれています。苦労をせずに色々な作業を代わってもらえるかもしれません。しかしＡＩはかぼちゃひとつも作れません。作る手助けはできても、作ること自体

▼チェルノーゼム
ロシア語で「黒い土」を意味する。肥沃な黒色の土壌。枯れ草などの有機物を微生物が分解したあとに残る「腐植」という物質を多く含むため、養分が豊富。ウクライナではチェルノーゼムが国土の半分以上を占め、麦やトウモロコシが多く収穫される。

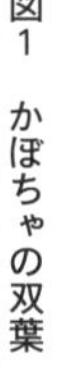
▼図1　かぼちゃの双葉

はできないのです。先ほどもお話しした通り、食べ物を生み出すのは自然です。そのことを改めて認識する必要があります。

この鉢植えを見てください。土から柔らかい双葉（**図1**）が顔を出しています。これは何の種から生えてきていると思いますか？　じつはスーパーで買った、四等分のかぼちゃから採った種です。みなさんも、ラップに包まれて陳列されているのを見たことがあると思います。種を洗って綿を取って、乾かしておいたものを土に埋めたら、二週間くらいから土が盛り上がって、すぐに芽が出ました。植物が育つ仕組みを知識としては頭に入れていても、スーパーで何気なく買ってきたかぼちゃの種からも、こうやって作物が育つんだなと改めて感動しました。この鉢植えでは食べられる大きさまで育てるのは難しいと思いますが、それでも広い場所に植え替えて丁寧に育てればきっとみなさんが想像するようなかぼちゃの実ができるはずです。種を蒔（ま）いて芽が出て収穫をして、出荷する。当たり前のようですが、この過程を通して私たちの前に食べ物が運ばれてきているのです。この営みを続けている生産者さんたちを私たちはもっとリスペクトしなくてはいけないのじゃないかしら。

難しいことを考えるのではなく「うまい！」から始めましょう。講義の最初に、みなさんは心からおいしいと思うもの、死ぬ前に食べたいと思うものを聞かせてくれました。そんなおいしい記憶を大切にして、「これおいしいな、これがなくなったら嫌だな」という思いから、食と地球の未来のことを考えていってもらえたらと思っています。

Q&A

――先生は今後、日本の食料自給率を上げていくためにどのようなことをしたらいいと思いますか。

大きいシステムを変えないといけない部分と、一人ひとりの行動から変えられる部分があると思います。

生産者の減少や、流通の仕組みなど、大きいシステムのことだけを考えると、自分一人に何ができるだろうと悩んでしまいます。でも難しく考えずに、国内の農家さんが作ってくれている食品を応援することを一人ひとりが心がければ自給率は上がるのじゃないかしら。たとえば私はできるだけ日ごろから国産小麦を使ったパンを買うようにしています。日本で小麦を作るのは気候的に難しいこともあるため生産量は著しく低いです。一方、生産量が高い輸入小麦は安価ですが、高い割合で残留農薬が出てきます。そんな安全上の理由もあって国産小麦のパンを選んでいるのですが、この選択を通して、苦労をしながらも国産小麦を作っている生産者さんを応援することもできるのではと思っています。

そして何より、私は料理研究家なので、国産の野菜のおいしい食べ方も発信していきたいです。

ファッションから見る現代社会

米澤泉

よねざわ・いずみ＝甲南女子大学教授。一九七〇年生まれ。専門はファッション文化論、化粧文化論、女子学。化粧文化研究者ネットワーク世話人、乳房文化研究会常任運営委員、日本顔学会評議員。経済産業省クール・ジャパン官民有識者会議委員も務めた。著書に『コスメの時代』『私に萌える女たち』『「女子」の誕生』『「くらし」の時代』『おしゃれ嫌い』など。

「ファッション」というと、衣服のこと、あるいは流行のことを一番にイメージする人が多いかもしれません。

もちろんそれも正解です。しかし、「ファッション」というのは衣服や流行のことでありながら、じつはそれだけではないということを、これからみなさんにお伝えしたいと思います。

「ファッションセンスって何?」

まず、私がファッションの研究をしようと思ったきっかけについてお話しします。そもそも、十代のころから洋服が大好きで、脳内のかなりの部分をファッションが占めている中学高校時代でした。さらに、通っていた学校が私服通学だったので、毎日着ていく服を考えないといけなかった。当時は八〇年代で、ちょうど十代の女の子向けのおしゃれなファッション誌がつづけて創刊された時期でもありました。

とくに、『オリーブ』という雑誌は「リセエンヌ」と呼ばれるフランスの学生たちのファッションを紹介する内容で非常に人気がありました。

私も中高時代は少女の可愛さを追求する『オリーブ』の世界観がすごく好きで、大きな影響を受けましたが、あるとき、大学生になったらもうちょっと大人っぽい格好もしないといけないのではと思い始めました。それで当時、女子大生にとても人気のあった『JJ』という雑誌を読んでみると、コンサバ系で、『オリーブ』とは対極の世界観。この二誌は、どちらもそれぞれに人気でしたが、紹介される洋服やコーディネート、誌面に登場するモデルさんも含め、まったく雰囲気が違いました。

正直、『オリーブ』のセンスからすると『JJ』はなんか違うというか、場合によってはちょっとセンス悪い……と思ってしまう。でも、実際には、『JJ』をすごくおしゃれだと思って読んでいるひともいっぱいいるわけです。じゃあ、ファッションセンスがある・ない、センスがいい・悪いとは、一体どういうことなんだろう？という疑問が湧いてきました。

「個性的」を求めた理由

現代は、比較的ファッションが均質的になっていて、雑誌ごとに根本的なセ

▼『オリーブ』
一九八二年に創刊された女性向けファッション誌。フランスの高校生の呼称「リセエンヌ」をキーワードに、ロマンチックでガーリーなライフスタイルを提案した。二〇〇三年に休刊するも、二〇年代に至るまでたびたび「一号限りの復活」をするなど現在も人気が高く、影響を受けた読者は「オリーブ少女」と呼ばれる。

▼『JJ』
一九七五年に創刊された女性向けファッション誌。一般の大学生などの「読者モデル」を初めて起用し、リアリティのある誌面づくりは多くの反響を呼んだ。異性にアピールするいわゆる「コンサバティブ」なファッションを取り上げ、支持を得るも、二〇二〇年に休刊。現在はWEBサイト「JJnet」に移行。

ンスが違うというほどでもなくなってきました。たとえば、どの雑誌にもユニクロを使ったコーディネートが載っていたりします。

八〇年代の『オリーブ』はどちらかというと個性的なファッションを、『JJ』のほうは、万人受けしそうなお嬢さんファッションを紹介していました。

ほかの雑誌も個性が強くて、いまもある『an・an』は当時、記事の見出しで「青山学院女子学生の見事なワンパターンぶり」と書いていました。これは、いわゆる『JJ』的なファッションの女子大生を批判しているのです。いまでは雑誌が見出しで大学名まで出してそんなことを書くなんてあり得ないことですが、当時はSNSもなく、そういうことをしても炎上しない時代だったのですね。

また、現代と違うのは、当時は洋服全般の値段がずっと高かったこと。いまだと数千円でデザインもそれなりに気が利いていて、機能的にも良いものがいくらでも手に入りますが、八〇年代はおしゃれをしようと思ったら結構お金がかかりました。

服で個性を表現するという風潮も強く、ちょっと変わった服を着たいと思うひとも数多くいて、個性的なブランドもたくさんありました。それらは「DCブランド」と呼ばれていて、一着何万円もするのですが、当時の若者は、学生だったら必死に親にねだったり、バイトをして、服を手に入れることに熱中していたり、というような状況でした。

▼『an・an』
『オリーブ』の出版元でもある平凡出版（現・マガジンハウス）が、一九七〇年に創刊した女性向けファッション誌。日本のファッション誌の先駆けであり、若い女性のライフスタイルや生き方に大きな影響を与えた。創刊時は月に二回の発行だったが、現在は週刊誌として毎週水曜日に発売されている。

▼DCブランド
「デザイナーズ&キャラクターズブランド」の略称。一九八〇年代に流行した、デザイナーの個性やメッセージ性を強く押し出したブランドを指す。

どうしてそんなに服が個性的でないといけなかったのか？　当時はＳＮＳはおろかインターネットすらない時代ですから、他人に対して瞬時に自分自身をアピールするには、服装くらいしか表現手段がなかったのです。

いまだったら、ＳＮＳでライフスタイルも含めて自分をアピールすることもできますが、そのときは実際に会ったときに与える印象がすべて。できるだけ個性的で印象に残って、ひとと違う格好をしたいと、みんな気合が入っていました。そのニーズに応え、黒ずくめだったり、重ね着だったり、穴が開いていたり、あらゆるファッションが八〇年代に出尽くしたのです。

ファストファッションの台頭

しかし、この状況が九〇年代に入ると一変します。八〇年代の「ある程度お金を出さないとおしゃれに見えない」という図式が崩れ、一挙に▼ファストファッションの時代となりました。

どこでも手に入って、値段も手ごろで、流行に乗れる洋服たち。▼バブル崩壊後、流通も含めて、安く衣服を生産できるシステムが瞬(またた)くうちに構築されていきました。たとえば直営工場で作ったものを直営店で売り、あいだにあまり流通の経路を入れないようにするとか、中国で作って人件費を抑えるとか。あらゆることをした結果、商品を安く売ることが可能になった。といっても安い

▼ファストファッション
「ファストフード」になぞらえた造語で、流行を取り入れた衣料品を大量生産し、低価格で短いサイクルのなかで販売するブランドや業態のこと。一九九〇年代に台頭し、消費者の支持を得るも、近年は、衣類の大量廃棄など環境問題の観点から批判の声が高まっている。

だけでは誰も買わないので、品質やデザインにもかなり気を配って、安い＝ダサい、というイメージを覆していきました。

その結果、九〇年代の後半から現在に至るまで、安い服をどれだけかわいく着こなすか、どれだけおしゃれに見せるかということに価値が置かれるようになりました。

あまり高い服ばかり着ているひとは、頑張りすぎでおしゃれとはいえないのではないかとか、全身ブランドもので決めているひとはかえって全然おしゃれじゃないよね、というのが共通認識になったのです。

おしゃれにあまり関心がない、服を着ることにエネルギーをそんなに注ぎたくないひとにとっての救世主が、ご存じの通り、柳井正が作りあげたユニクロでした。

ユニクロというブランド名は、もともと「ユニーク・クロージング・ウェアハウス」の略で、ウェアハウス（倉庫）から、自分で服を出して選ぶようなイメージでしょうか。一九八四年、広島に第一号の直営店ができました。八〇年代はまだまだ個性的な服が人気の時代ですから、最初はそれほどでもなかったのですが、九一年になると、バブル経済が崩壊し、「いつまでも高い服を買っているわけにはいかない」という状況になっていきます。そのうちに全国で百店舗を突破するくらいに広がっていきました。

人気が決定的になったのは、一九九四年に発売された「フリース」です。お

▼**バブル崩壊**
一九九一〜九三年ごろにかけて起きた、株価や地価の急落による日本の不景気の通称。ここから日本は長い不況の時代に入った。

じいちゃんから孫まで、一家に一枚どころか、一人一枚の国民服といわれるくらいの大ヒットになりました。

ただ、九〇年代の後半にユニクロが多くのひとに受け入れられたのは、安さや機能性が大きな理由でした。誰もが知っているブランドにはなりましたが、あまりにも爆発的に流行ったこともあり、「ひとと被ることが多い」いわゆる「ユニ被り」の問題や、当時はデザインもあまり洗練されていなかったため、「ユニクロだとバレるのが恥ずかしい」という感覚もありました。そんなムードは二〇〇〇年代の後半くらいまで続き、みんな着ているけど、決してファッション雑誌に載るようなブランドではありませんでした。

「私たちがユニクロを選ぶ理由」

二〇一〇年代になると、風向きが変わってきました。二〇一五年には、雑誌▼『andGIRL』の表紙に、「ユニクロでよくない?」という見出しがでかでかと躍ったのです。

驚いたのは、「で」というところです。「ユニクロが」ではないんですね。なかを開くとさらに「〝もう〟ユニクロでよくない?」とまで書いてある。

この見出しにはいくつか意味があると思います。ひとつは「ファッションって、そんなに頑張ったりお金をかけたりしなくてもよくない?」ということ。

▼**『andGIRL』**
二〇一二年に創刊された女性向けファッション誌。二十五歳〜三十五歳の女性をメインターゲットとし、キャッチコピーは「アラサーになっても、仕事ができても、結婚しても、『ガール』な大人たちへ！」。二〇二〇年に休刊し、「andGIRL web」に移行。

もうひとつは、「ユニクロでも、最近は十分おしゃれできるじゃない?」ということ。

さらに、二〇一九年の『JJ』では、ユニクロと同じファーストリテイリング系列のブランド「GU▼」が特集されました。表紙には「GUでがいい。」というキャッチコピーが躍りました。なんと、「で」を×でわざわざ消して、「が」にしたことをアピールしているのです。みんなの気分が表れています。

このころから、ユニクロ・GUがファッションの王道になってきました。バレるのが恥ずかしいという感覚もなくなり、SNSでフォローしているひとがユニクロの服を着ていて、かわいかったから私も買おう、と自然に思うくらいに。

そして二〇二〇年代のいま、当然のように「ユニクロの服はいい」というイメージが広がってきています。

かつてはバレると恥ずかしいと思われていたユニクロが、いつの間にかすっかりおしゃれの主役となり、着ていることが価値をもつような時代になってきたのです。

▼GU
二〇〇六年立ち上げのファストファッションブランド。ユニクロを運営するファーストリテイリングの完全子会社で、より低価格でカジュアルな衣料品を提供する。二〇一三年、海外進出にともないブランド表記を「g.u.」から「GU」に変更した。

「災害とファッション」

なぜこんなにユニクロの評価が変わったのか。理由のひとつに、ユニクロが

「ライフウェア」というコンセプトを打ち出したことがあります。「生活をよくする服」という意味で、服が生活のクオリティを上げる、そのためのツールとしてユニクロはあるのだという考え方を提案しました。

そしてそれが広がった背景には、ひとびとの大きな価値観の変化があり、そのきっかけとなる出来事があります。

第一段階としてはやはり九〇年代、バブルがはじけて服にお金をかけられなくなったという現実がありました。第二段階として大きかったのは、二〇一一年の東日本大震災▼です。あの震災で、日本に暮らす多くのひとの価値観が変わったといわれています。着飾ることより、日常を平穏に過ごせることがいかに大切か、ありがたいかということに多くのひとが気づき、ささやかだけれど日々の暮らしのなかに楽しみを感じたい、というひとが増えました。

その結果、服装よりも、食べることや、住空間を美しく整えるような方向にひとびとの関心が向かいました。インスタグラムで「#ていねいなくらし」と検索すると、お洒落な画像がたくさん出てきます。私の知人のなかでも、アパレル業界で流行の最先端の仕事をしているひとびとが、かつてあれほど夜遊びしていたにもかかわらず、最近は朝早く起きてランニングをしていたり、植物性のものだけを口にするヴィーガン食に目覚めたり、続々とライフスタイルを変えるようになりました。

そのように「暮らし」を大切にして、実践しているひとも多いなかで、ユニ

▼**東日本大震災**
二〇一一年三月十一日、十四時四十六分頃に発生した、東北地方太平洋沖地震による災害およびそれに伴う福島第一原子力発電所事故による災害。震災関連死を含めた死者と行方不明者は二万二千人あまりにのぼり、いまなお多くのひとが避難生活を余儀なくされている。

クロの「ライフウェア」がうまく合致してきた。ひとびとの価値観の変化に、ユニクロの服がぴったり合ったということですね。

サステイナブルと「健康」

ファッション業界で現在スタンダードとされる、次のシーズンを先取りして生産するファッションシステムが生まれたのは、十九世紀の終わりのことです。パリでオートクチュールという高級注文服のシステムができあがって、年に二回コレクションを発表し、流行を作り出して、ひとびとに買ってもらい、シーズンが終わればまた次の流行を作り出す……。

しかし、二〇一〇年代の中ごろから、長年不動であったファッションシステムに対して、疑問の声が上がり始めました。

近年この風潮はさらに強く、必要ではないのに消費を促すために流行を作って、売れないものは廃棄処分というのは、環境破壊になるからやめよう、という方向に世の中が向かっています。従来のシステムが本当にいいことなのか、意味があるのかとファッション業界のひとも含めて考えざるを得ない時代になっているのです。

二〇一八年の雑誌『CLASSY.』は、表紙に「私たちは、なぜオシャレをするんだろう」というキャッチコピーを掲載しました。それを見たときは、

▼オートクチュール
デザイナーが顧客のためにオーダーメイドで衣装を製作すること。

▼『CLASSY.』
一九八四年に創刊された女性向けファッション誌。初代編集長は『JJ』を創刊した並河良。創刊当初は裕福な「お嬢様」をメインの読者層としていたが、現在は二十代後半のOL向けのコンサバファッションを中心に紹介。月刊誌として毎月二十八日に発行されている。

ファッション誌が自分たちの存在意義を問うようなことをしていいんだろうか、と驚きました。しかし、これこそがまさに時代のムードを表しています。新しい服をどんどん買って着るというのは、もはや古い世代の考え方。いま、若い世代のひとたちに、古着はすごく人気がありますし、そもそも、所有することにあまり価値を置かないようになっていますね。少ない点数でいかにおしゃれをするか、というのが重視されていて、着なくなった衣服をメルカリで売るひとも多いのではないでしょうか。サブスクリプションでスタイリストの選んだ衣服を借りられる「エアークローゼット」というサービスなども、人気があります。

その背景には、サステイナブル（持続可能性）を重視する意識の変化があると思います。無駄なことはしたくない、地球環境へ負荷をかけたくない、という新時代の感覚。かの有名なグレタ・トゥーンベリさんも、十八歳のころのインタビューで、環境のことを考えて、新しく服を買うのをやめたといっていました。

さらに、現代は「健康」の価値が非常に高まっています。ただスタイルがいい、ダイエットして細い体になればいいということではなく、まず健康であることが大切。コロナ禍の影響もあり、免疫力を上げるための特集なども人気です。それこそ八〇～九〇年代には、健康のことなんてシニア層の雑誌にしか書いていていないものでしたが、いまは年代関係なく、健康への関心が高まっています。

▼エアークローゼット
洋服のサブスクリプションサービス。月額料金を支払うことで、プロのスタイリストがセレクト・コーディネートした洋服を借りられ、物を増やしたくない人や、ファッションの悩みを抱える人に人気。二〇一五年にサービスが始まり、二三年現在の会員数は八十万人にのぼる。

▼グレタ・トゥーンベリ
スウェーデンの環境活動家。二〇〇三年生まれ。地球温暖化が要因と思われる異常気象への対策が行われないことに警鐘を鳴らすため、二〇一八年八月にひとりで国会議事堂前に座り込み「Strike for Climate」（気候変動のためのストライキ）を行った。当時十五歳の彼女の行動は同世代の共感を呼び、ＴＥＤや世界経済フォーラムなど、国際的な舞台で活躍。二一年に創刊されたファッション誌『ヴォーグ・スカンジナビア』の表紙を

言葉を使い、服を着る

最初に、「ファッション」は衣服のことだけではないとお話ししました。ユニクロの「服のチカラを、社会のチカラに。」というメッセージをはじめ、近年の大きな傾向として、社会貢献の活動や環境問題への配慮を、あらゆる企業がアピールするようになりました。それは、そうしたことが消費者に一番アピールする世の中になっている、ということの裏返しで、個々人のものを買う動機が変わってきているのですね。ユニクロがこれだけ世の中に広がった本当の理由は、安いだけでなく、常に、時代にぴったり合った提案をしているからでしょう。ただ、▼ユニクロは二〇二一年に、中国・新疆(しんきょう)ウイグル自治区で強制労働のある工場で作った綿を使用していると報道され、人権侵害への関与について批判の目が向けられています。マニフェスト通りの経営が行われているかについては、今後も注視が必要です。

八〇年代に支持された個性的なファッションは、デザイナーの作品であり、服を着るということは、デザイナーに共感してメッセージを受け止めることと捉えられていました。

一方で現代は、どのようなプロセスを経てその服が生産されているのかということや、生産者側の政治的な正しさ、マニフェストが非常に重視されています。いま、服を選んで着るということ、消費するということはすべて自分の意

飾り、ファストファッションのあり方を糾弾し、「新しい服を買うのをやめた」と発言。

▼ユニクロのウイグル自治区問題　二〇二一年七月、中国・新疆ウイグル自治区産の綿を下請けを通じて製品に使用し、自治区で人道に対する罪が行われていることを知りながら、労働力を利用しているとして、フランスの人権団体がユニクロを含む服飾メーカー四社を告発したと報道された。これに対し、柳井正会長兼社長は決算記者会見で政治的な問題なので発言はしないなどと述べ、人権問題について明言を避けたことから、国際的にさらなる批判を受けた。

思を表明すること、選挙で投票することに近い行為になっています。

最後に、いくつかファッションにまつわる言葉を紹介させてください。

ファッションとは、衣服のことではない。それは、ひとつの考え方のことだ。あるいは、私たちの時代特有の、ユニークな世界観と言い換えてもいい。ファッションとは、ものの見方、あるいは、世界の捉え方なのだ。（井上雅人『ファッションの哲学』ミネルヴァ書房／二〇二〇年）

ファッションというのは物書きでさえ書けない、言葉にできないものを形にする最先端の表現だと思っています。（山本耀司『服を作る ―― モードを超えて』中央公論新社／二〇一三年）

衣服の着用は羞恥心、装飾、保護の理由をこえて、本質的に意味作用の行為なのである。それは意味作用の行為であるからこそ、社会の弁証法のただなかに置かれた、根本的に社会的な行為なのだ。（ロラン・バルト『モード論集』ちくま学芸文庫／二〇一一年）

かように、服を着るということは、みなさんが思っている以上に社会的な行

▼『**ファッションの哲学**』
デザイン史、ファッション史、物質生活史を専門とする井上雅人による全五章のファッション論。ファッションは身体と流行の関わりという視点から、文化、産業、表現を取り上げる。

▼『**服を作る**』
一九七二年にファッションブランド「Y's」を立ち上げ、世界的なファッションデザイナーとして活躍する山本耀司の生い立ちとキャリア、創造について語られた一冊。

▼『**モード論集**』
フランスの哲学者ロラン・バルト（一九一五〜八〇）による、モードにまつわるエッセイを集めた論集。

為なのです。にもかかわらず、「それはファッションに過ぎない」「所詮ファッションだから」というように、日本では言葉自体が軽く扱われ、どちらでもいいというニュアンスがつきまといます。

言葉によって編まれたものを英語で「テキスト」といいますが、織物は「テキスタイル」。このふたつは語源が同じです。テキストは織られる＝書かれることによって意味が生まれ、服も布が織られることによって生み出される。言葉を使い、服を着ることは、どちらも人間が社会的に生活するために不可欠なことです。若いみなさんもこれからそれぞれの人生を歩まれるうえで、ぜひ、このふたつに敏感になっていただきたいと思います。

Q&A

――東日本大震災のときに、ひとびとが衣服よりもライフスタイルを重視するようになったということは、ファッション業界全体にどのような影響を与えましたか？

まず、いち早く「ライフウェア」を提案したユニクロの評価が上がったことは間違いありません。また、昨今はスニーカーがブームですが、どんなファッションにもスニーカーを合わせるようになったのは、東日本大震災がきっかけのひとつ。災害時でも歩きやすい靴への需要が高まったのですね。じつは、関▼東大震災のときも、時代的にまだ着物を着ている女性が多かったのですが、逃

▼関東大震災
一九二三年九月一日、十一時五十八分頃に首都圏で発生した巨大地震。神奈川県西部を震源に、東京府（現・東京都）から茨城県・千葉県、静岡県東部までの内陸と、広範囲で揺れが観測された。死者・行方不明者は推定十万五千人とされ、明治以降の日本の地震被害としては最大規模となっている。

げ遅れて命を落とすひとが多かったので、それ以降洋服を着るひとが増えたともいわれています。災害が服装にもたらす影響はとても大きいのです。

わたしの思い出の授業、思い出の先生

Q1：思い出の授業を教えてください
Q2：その授業が記憶に残っている理由はなんですか?
Q3：その授業は人生を変えましたか?

大学のゼミの斉藤延喜先生の授業が大変印象に残っています。当時、筒井康隆さんの『文学部唯野教授』という小説が話題になっていたのですが、まさにそれを地で行く「文学理論」の講義がとくに好きでした。文学のテクストを解釈するだけでなく、さまざまな事象を読み解いていく際の基礎になる理論、記号論や受容理論などは、その後ファッションの問題を考えるうえでも役立ちました。

また、斉藤先生からは研究に対する基本姿勢というか、論文を書くということはマラソンのように孤独な作業だということも教えてもらいました。

その後私は文学を遠く離れて、ファッションを読み解く方向にシフトチェンジするのですが。大学院の藤田實先生には、「道なき道を行け」という言葉で後押しして頂きました。いまも道なき道を歩む私が頼りにしているのが、編集工学者の松岡正剛さんです。服を着るように本を読む松岡さんの言葉は胸に染み入ります。私にとっての「先生」ですね。

わたしの仕事をもっと知るための3冊

米澤泉『おしゃれ嫌い——私たちがユニクロを選ぶ本当の理由』（幻冬舎新書）
米澤泉『「女子」の誕生』（勁草書房）
松岡正剛『サブカルズ』（角川ソフィア文庫）

変わるお金、消えるお金、つながるお金

中山智香子

みなさんは「お金」と聞いて何を思い浮かべますか。現金、銀行の預金、暗号資産を連想する方もいるかもしれません。これらのお金は、全て同じものなのでしょうか。通帳に書いてある数字は、コインや紙幣といった現金とどう違うのでしょうか。そもそも、金属の平たいかたまりや長方形の紙が一定の価値で通用するのはなぜでしょう。暗号資産のように、国を飛び越えて通用するお金があれば、世の中の仕組みはもっと簡単になるものでしょうか。いつも何気なく使っているお金ですが、じつはいろいろなことを考えるきっかけになります。

今日は、四つの問いを用意しました。

一つ目は「日本のお金はなんでしょう。また、アメリカやドイツのお金は？」。二つ目は「みなさんはいくらお金を持っていますか？」。三つ目は「お金の役割っ

なかやま・ちかこ＝経済学者。早稲田大学大学院経済学研究科修了（修士）、ウィーン大学大学院修了（博士）。専門は戦間期オーストリアを中心とするドイツ語圏の経済思想。著書に『経済学の堕落を撃つ――「自由」vs「正義」の経済思想史』『経済ジェノサイド――フリードマンと世界経済の半世紀』ほか。共訳書にクナップ『貨幣の国家理論』など。またNHK「100分de名著 for ティーンズ」などに出演。

てなんでしょう」。四つ目は「お金を扱う学問はなんでしょう？」。これらの問いに答えながら、「お金とはなんなのか」、じっくり考えていきましょう。

お金は「変わる」もの

まずは一つめの「日本のお金はなんでしょう。また、アメリカやドイツのお金は？」という問いにはどう答えますか。

日本は「円」、アメリカは「ドル」、ドイツは「ユーロ」。一見簡単な問いですね。ですが、ここで一旦立ち止まって、国や地域とお金の関係性について、もう少し掘り下げてみましょう。

「円」は現在の日本の法定通貨です。法定通貨とは、その国の法律で定められたお金の単位を指します。では、日本の貨幣はずっと「円」だったのでしょうか。

日本の中央銀行である日本銀行による「貨幣博物館」▼のウェブサイトで、日本のお金の歴史を知ることができます。このサイトによると、無文銀銭や富本銭からはじまってさまざまな銭貨が流通し、江戸時代には時代劇で出てくるような大判小判が登場しています。円が登場するのは明治時代に入ったあとの一八七一年のことでした。つまり、ここ百五十年くらいの話なのです。

さらに、これ以降「円」が変わらずに使われてきたのかというと、そういう

▼**「貨幣博物館」のウェブサイト**
日本銀行金融研究所「貨幣博物館」ウェブサイトより、「お金の歴史」
(https://www.imes.boj.or.jp/cm/history/)

わけでもありません。

一九四五年、日本は戦争に負け、ＧＨＱの占領下におかれます。このとき、本土ではそのまま日本のお金を使ったのですが、沖縄では違う貨幣が使われるようになった時期もありました。米ドルが使われたり、「Ｂ円」と呼ばれるお金が本土のお金と固定レートでやりとりされるよう定められたりしました。また、現在の日本には沖縄の他にも、横田、三沢などに米軍基地がありますが、ここではいまも米ドルが使われています。つまり、日本国内であっても、円以外の貨幣が歴史上使われていたこともありますし、現在でも国内の一部では日本円ではない貨幣が使われています。

ドルについても考えてみましょう。ドルはアメリカの貨幣ですが、いまお話ししたように、日本や世界中の米軍基地で使うことができます。さらに、香港やシンガポールでは、それぞれ「香港ドル」「シンガポールドル」が使われています。これらは米ドルとのレートがその都度決まります。このように、ドルを使うのはアメリカの国内だけではありません。

さらに、ドイツで使われているユーロは、ＥＵ加盟国のうちフランスやイタリア、スペインなど十九ヶ国（二〇二二年時点）で、国をまたいで使われています。ユーロになる前は、ドイツでは「マルク」という貨幣が使われていました。ユーロが使われ始めたのは二〇〇〇年前後なので、ここ二十年程のあいだに貨幣の変換が行われた、ということになります。

▼ＧＨＱ
連合国最高司令官総司令部（General Headquarters of the Supreme Commander for the Allied Powers）。第二次世界大戦後、日本を占領した連合国軍が東京に設置し、日本の統治・戦後政策を行った機関。最高司令官はダグラス・マッカーサー。一九五二年のサンフランシスコ平和条約により解消。

このように、かならずしも「一つの国に一つのお金」という対応関係が成立するわけではありません。同じ国の中でも時間の流れのなかで貨幣は変化しますし、同じ国のなかで異なる種類の貨幣が使われていたり、逆にいくつもの国をまたぐ共通の貨幣があったりします。ですので、一つめの問いの答えはさしあたり「二〇二二年現在の、日本の法定通貨は『円』」となりますが、十年後、二十年後、ひょっとしたら五十年後には、円ではない貨幣が日本で広く使われる日が来るかもしれません。

現金だけが「お金」ではない

二つ目の問い「いくらお金を持っていますか?」に移りましょう。お財布の中身を思い浮かべる方も、銀行預金も含めて答えてくださる方もいるかもしれません。お財布に入っているコインやお札といった現金はわかりやすいですね。では「お金が銀行にある」とはどのような状態を指しているのでしょうか。口座を持っている人の数だけ銀行に金庫があって、現金が置いてある、というわけではありませんね。預金したとき、銀行は顧客から預かったお金をデータにして、引き出しや預け入れ、振り込みのやり取りをしています。

銀行預金だけでなく、PASMOやSuica、あるいは「LINEペイ」といった電子マネーにチャージしたお金も、実体はありませんが、お金のような支払手

▼たま
二〇〇七年開始、川崎市・多摩区内で流通する地域通貨。

段として数えることができます。

また、「地域通貨」というものもあります。川崎市・多摩地域の一部には、「たま」という地域通貨があります。地域通貨は一九九〇年代以降に活発になったもので、現在では世界各地、日本でも全国で数えきれないほどの地域通貨が誕生・流通しています。じつは、コロナ禍によって、さらに新たな地域通貨が生まれて、流通も活発になりました。生活圏のなかで買い物を済ませなければならなくなったとき、「地域通貨だけで経済を回していけるようにしよう」という動きが起こったのです。「遠くまで運んでたくさん売る・買う」というグローバリゼーション経済のあり方ではなくて、もっと身近なところで完結させることによって無駄をなくし、ひいては地球環境にも優しい仕組みを作る。資本主義がうまく機能しない際に、こうした地域通貨の概念はよく持ち出されます。

さらにもう一つ勢力を拡大しているのが、「仮想通貨」あるいは「暗号資産」です。「ブロックチェーン」と呼ばれる、取引端末同士を直接接続する記号暗号化技術を用いた支払手段で、国や中央銀行のしくみを使わずにオンライン取引の決済を可能にします。いちばん有名なのは「ビットコイン」ですね。ビットコインが流通しはじめたころ、世界には動揺が走りました。経済学者のミルトン・フリードマンが早くから予想していたように、インターネットとお金が結びつき、国を飛び越えたやりとりが極端に容易になったのです。する

▼たま
NPO法人ぐらす・かわさきが運営しており、参加団体のボランティアに参加すると五十ないし百たまを受け取ることができ、加盟店などで使える。

▼ビットコイン
二〇〇九年に運用が開始された最初期の暗号資産。コインや紙幣のような実体はなく、完全にオンライン上で取引されている。ビットコインは二〇二二年現在、世界でもっとも多く流通している暗号資産である。

▼ミルトン・フリードマン
アメリカの経済学者。コロンビア大学で博士号を取得後、シカゴ大学で教鞭を執る。市場原理主義、新自由主義提唱者の一人であり、ニクソン政権下、ブレーン的な立場で経済政策に関する提言を行った。一九七六年にはノーベル経済学賞を受賞する。

と、法定通貨を定めることで秩序を維持していたはずの社会は混乱をきたします。そこで多くの国の政府は、「仮想通貨は資産（財産）ではあるが『お金』ではない」とみなすことにしました。ゆえに、近ごろでは「暗号資産」という呼称がメジャーになっています。しかし、二〇二一年にエルサルバドルがビットコインを法定通貨として認定するなど、この認識にも変化が生じています。

このように見ていくと、「お金」として①現金、②預金およびプリペイドの電子マネー、③地域通貨、④暗号資産の四つの種類がありましたが、この分け方は、二〇一二年にEU中央銀行が発表したリポートに基づいています。このリポートは、お金の種類を「法定通貨であるか否か」「有形か、無形か」の二つの軸に基づく四つに分けて考えています。この分け方に従うと、有形の法定通貨が現金、無形の法定通貨が銀行預金や電子マネー、有形の非法定通貨が地域通貨で、無形の非法定通貨が暗号資産です。

法定通貨である現金や電子マネーや、銀行の預金などは、国による規制の対象です。これに対し非法定通貨である地域通貨は、たとえば「掃除を手伝う」などの活動によってもらえるもので、一定範囲内なら国による規制はほとんどありませんが、使うことのできる範囲は限られます。また、無形の非法定通貨、暗号資産を国が規制することはかなり困難です。

一方では地域通貨という狭いコミュニティのなかでのみ使える貨幣、他方では国などやすやすと飛び越えて世界中に広がる暗号資産。新たなお金のあり方は、小さいほうと大きいほうの両方向において変化しつつあります。

交換のプロセスを考える

それでは、三つ目の問いである「お金の役割」について考えてみましょう。

みなさんがまず思い浮かべるのは、お金によってモノを買うことができる、ということでしょうか。これはもちろん間違いではありません。モノとの交換機能をお金の主な役割だと考えている人は多いでしょう。

しかし、お金の役割はそれだけではありません。「百円でこれが買える」といったように、お金はモノの価値を表す単位にもなっています。また、貯めておいてまとめて使うこともできます。これは価値を貯蔵する機能です。また、投資することも可能です。つまり、最初に大きなお金を貸し借りして使い、利益を得た後で回収することができる、ということです。これらが成り立つためには「いま持っているお金の価値は将来も大きく変わらず、後で使うことができる」という考え方が前提となります。

お金を用いた交換のプロセスは次のように説明されてきました。

交換とは、AさんとBさんが、何かをもらって代わりのモノを渡す、という行為です。たとえば、BさんがAさんのもっている靴がほしいとしましょう。

Ａさんが Ｂさんに靴を渡して、Ｂさんはその対価としてＡさんに千円を渡すことになります。

なぜこのプロセスが成り立つのでしょうか。Ａさんが靴と引き換えにお金をもらって「よかった」と思えるからですね。なぜ「よかった」と思えるかというと、Ｂさんにもらったお金で、Ａさんは自分の欲しいモノをＢさんではない誰かと交換できるからです。つまり、Ａさんはこのお金を「後で使える」と思っているんですよね。

ですが、ここまで見てきたように、お金は価値や単位が「変わる」可能性をはらんでいます。さらに、どのようにして「靴一足が、どれくらいの量のどのようなものと同等の価値を持つのか」が決まるのかも自明ではありません。現代においては、お金がどこでもいつでも同じように通用するものではない、ということになりつつあるのです。ここで、お金のより広いとらえ方が重要になってきます。

お金のはじまりは「借用証書」

実はそれが最後の四つ目の「お金を扱うのはどんな学問か」という問いに関係しています。まず思い浮かぶのは経済学でしょうが、「なぜ、物やサービスを受け取るときに、紙やコインを渡すのだろう」ということを深く考えていくと、経済学を超えた学問の世界が広がっていきます。

たとえば、ここ五十年、百年であれば、経済学の観点から標準的な法定通貨について考えているだけでよかったのですが、これまで見てきたように、もはや状況はずいぶん異なっています。さらに、もっと長い時間軸で見ると、お金そのものの歴史のほうが経済学の歴史よりもずっと長いのです。経済学のはじまりはアダム・スミス▼が『国富論』を発表した一七七六年といわれています。つまり経済学が学問として始まってから、まだせいぜい二百五十年ほどなのです。お金そのものはそのずっと前から存在しています。経済学がみてきたのは、長いお金の歴史のなかのわずか二百五十年に過ぎないのです。

そこで、一七七六年以前のお金の歴史とこれからのお金について、もっと広い分野、歴史学や人類学、社会学、政治学など、さまざまな学問領域からとらえることがとても重要になっています。そうすることで、さまざまなことがわかってきました。いちばんの発見は、「お金よりも先に債権と債務、借金が発生していた」ということです。

お金より前に穀物の貸し借りがありました。そもそも人間は食べないと死にます。土地を持っていてたくさんの収穫があった人と、土地を持たない、あるいは不作だった人の間で穀物の貸し借りがあり、それを忘れないために記録が必要になりました。例えば「コップ十杯分の穀物を貸します」というような、単位を決めて穀物の貸し借りをした記録が記されるようになったのです。

▼アダム・スミス
十八世紀後半、産業革命期イギリスの経済学者。『国富論』で、労働と自由な経済活動の重要性を訴え、資本主義経済の基礎づけを行った。市場には「神の見えざる手」のような自己調整的作用がはたらくと考えた。

貸し借り、つまり債権・債務に関して、人々は「借用証書」を発行しました。個人間での貸し借りには、踏み倒しなどの裏切りが発生する可能性がありますので、これを防ぐためです。さらにその信頼関係を保証する権威、たとえば村長や権力者が出てきます。かれらが借用書を承認すると、お互いの信用だけでなく、その借用証書がきちんと運用されることが裏付けられるわけです。

その運用の発展として、たとえばAさんはBさんとの間の借用証書でCさんから何かのモノを受け取り、「BさんはAさんから借りた穀物をCさんに返してください」と裏書きをすることもできるようになりました。これらの手続きが簡略化されて、借用証書がそのままお金として通用するようになる。これが、歴史学・人類学における貨幣の成り立ちの通説です。共同体内での信頼関係がもととなっているこの成り立ちは、経済学的な観点から見た「交換」の説明とはかなり異なっています。交換する場を市場とよぶわけですが、経済学ではこの市場を中心として理論を組み立てています。「お金を払ったら関係が切れる」というのが、市場経済学的な考え方です。一方で借用証書からお金の成り立ちを考えると、お金を使うという行為は、「支払い共同体」の一員であることを示すという意味ももっていることがわかります。経済学、歴史学、人類学、社会学、また政治学など、幅広い学問領域からお金にアプローチすることで、国家に限らず、さまざまな共同体の歴史やあり方、未来を考えることができます。

さまざまなアプローチで考えよう

まとめましょう。お金には社会の仕組みがぎっしり詰まっています。まず、時代や地域・世界情勢によって、お金はさまざまに変化していくものです。また、お金は現在の日本における「円」のような法定通貨だけを指すのではなく、電子マネー、地域通貨、暗号資産といったさまざまな種類も含みます。

さらに、交換機能のみならず計算単位の尺度としての機能、価値貯蔵機能もあります。そのお金を使うたびに、同じお金を共有している社会、人間集団、支払い共同体への信頼をあらわすことになりますので、人びとの共同体を支える意味ももっているといえるでしょう。どのお金を使うかは、自分がどの社会にいるかを改めて確認する手段です。さらに、お金を作って使うことで共同体を人に意識してもらうこともできます。地域通貨に顕著ですが、使うことで、その貨幣が流通している社会を盛り上げたり支えたりすることができるのです。あるお金を使うたびに、みなさんは同じお金を使うほかの見えない誰かとつながっているのです。

お金は「境界領域」に存在しています。お金について深く考えていくことで、経済学の領域を踏み越えて、人間をとりまくさまざまな学問に接続することができます。「お金」に興味をもち、学びたい、と思ったときには、経済学だけではなく、歴史学、人類学、▼経済人類学のアプローチも考えてみてくださいね。

▼経済人類学
西洋的・市場経済的社会に限らず、さまざまな社会における経済現象を研究する人類学。カール・ポランニーが一九五〇年代の共同研究の中で提唱。

Q&A

——アメリカ人は投資にお金を使い、日本人は貯金をする傾向がある、と聞いたことがあります。なぜですか?

お金をなぜ貯めるかというと「いつか何かがあったときにお金があれば大丈夫」という考えがあるからです。将来に備えるため貯金をするのですが、この行為には「お金の価値が大きく変動しない」という前提が必要です。もちろん、全てのアメリカ人が投資をして、全ての日本人が貯金にお金を使う、というわけではありませんし、世代による考え方の違いもあるかとは思いますが、日本人はアメリカ人よりも総じて「いま使われている貨幣は安定していて、時間が経っても大きく価値が変動することはない」という意識が強い傾向にあるのかもしれませんね。

わたしの思い出の授業、思い出の先生

Q1：思い出の授業を教えてください

高校時代後半の担任で国語の先生の授業。

Q2：その授業が記憶に残っている理由はなんですか?

「国語」が「国家の定めた言語の教育」であるという政治性を背負っていることを意識させつつ、読ませ書かせ考えさせる強烈な授業であったため。

Q3：その授業は人生を変えましたか?

進路決定の際に大きな影響を受けた。高校卒業後も数名の卒業生らとともに親交が続き、近年みなの協力で先生の講義が本になった（工藤信彦『職業としての「国語」教育——方法的視点から』（石風社）。

わたしの仕事をもっと知るための3冊

石田英敬・中山智香子・西谷修・港千尋『アルジャジーラとメディアの壁』（岩波書店）

中山智香子『経済ジェノサイド——フリードマンと世界経済の半世紀』（平凡社新書）

カール・ポランニー『経済の文明史』（ちくま学芸文庫）

第4章

言葉と想像力を鍛える

太宰治　文学の魅力

安藤宏

あんどう・ひろし＝国文学者。東京大学大学院人文社会系研究科教授。一九五八年、東京都生まれ。太宰治を中心に、日本近代文学を専門とする。主な著書に『太宰治――弱さを演じるということ』『私をつくる――近代小説の試み』『日本近代小説史　新装版』『太宰治論』など。

みなさんは、太宰治をどんな作家だと思っていますか。中学生のときに教科書で『走れメロス』を読んだ方も多いかもしれません。たとえばそこから『人間失格』を読んで、「なんて暗い、いやな作家だろう」と思うひともいるかもしれませんし、夢中になってどんどん深入りしていくひともいるでしょう。太宰は好き嫌いがはっきり分かれる、読者を選ぶ作家だといわれています。

作家の三島由紀夫は、太宰のことが大嫌いだと公言していました。ボディビルディングをしていた彼は、「太宰治の苦悩の大半は乾布摩擦をすれば治るはずだ」と言っています。一説によると、学生時代の三島が、晩年の太宰を訪ねて「あなたのことが大嫌いです」といったとき、太宰は「でもきみ、そんなことをいって、本当は僕のことが好きなんだろう？」と返したそうです。どこまで本当かはわかりませんが、これは太宰を考えるうえで象徴的なエピソードです。

「太宰が大嫌いだ」といっている大人の多くは、若いころに夢中で太宰の作品を読んでいたりするのです。過去を振り返って「あのときは太宰なんて読んで、若気の至りだった」と、自分の読書人としての成長を語る題材に太宰治を使うこともある。太宰が嫌いな人はとくに『人間失格』が嫌い、と語ることが多いのですが、実は三島の書いた『仮面の告白』▼、題材は一見違いますが、本質的には『人間失格』にとてもよく似ているのです。

「みんなこっそり読んでいる」

『人間失格』は、一九四八年に発表されて以来、七十五年で一千万部以上売れています。いまでも一年に十万部、二十万部は売れている「隠れたベストセラー」です。冒頭を少し読んでみましょう。

> 恥の多い生涯を送つて来ました。
> 自分には、人間の生活といふものが、見当つかないのです。（…）つまり、わからないのです。隣人の苦しみの性質、程度が、まるで見当つかないのです。（…）考へれば考へるほど、自分には、わからなくなり、自分ひとり全く変つてゐるやうな、不安と恐怖に襲はれるばかりなのです。

（『人間失格』「第一の手記」から。旧字は新字で表記した。）

▼太宰治
小説家。一九〇九年生まれ。東京大学仏文科中退。井伏鱒二に師事。「逆行」で第一回芥川賞の次席となり、翌年に作品集『晩年』を刊行。薬物依存や自殺未遂を繰り返しつつも、人気作家として数々の作品を発表した。代表作に『走れメロス』『人間失格』『晩年』『ヴィヨンの妻』など。一九四八年六月十三日、愛人であった山崎富栄とともに、玉川上水で入水自殺を遂げた。

▼『走れメロス』
一九四〇年に発表された、太宰治中期の代表作。暴虐な王様ディオニスに捕まったメロスは、妹の結婚式で故郷に戻るため、友人セリヌンティウスを人質とすることで三日間の猶予を与えられる。さまざまな困難に見舞われながら、約束通り友人のもとに帰ったメロスを見て、王様は改心する。

「自分には人間がわからない」と繰り返し、強調されています。

　エゴイストになりきつて、しかもそれを当然の事と確信し、いちども自分を疑つた事が無いんぢやないか？　それなら、楽だ、しかし、人間といふものは、皆そんなもので、またそれで満点なのではないかしら、わからない、……（…）

　自分には、あざむき合つてゐながら、清く明るく朗らかに生きてゐる、或ひは生き得る自信を持つてゐるみたいな人間が難解なのです。

（同「第一の手記」から）

とも書いてあります。「わからない」と強調していますが、よく見るとわかっていそうですね。人間のことをしっかり観察して、エゴイズム、偽善的な態度、無神経さをしっかり見抜いた上で、あえて「人間のこういうところがわからない」といってみせている。

　つまり自分には、人間の営みといふものが未だに何もわかつてゐない、といふ事になりさうです。自分の幸福の観念と、世のすべての人たちの幸福の観念とが、まるで食ひちがつてゐるやうな不安、自分は

▼三島由紀夫
小説家。一九二五年生まれ。東京大学法学部を卒業後、大蔵省に勤務するも九ヶ月で退職し、文学に専念する。代表作に『仮面の告白』『潮騒』『金閣寺』『豊饒の海』など。晩年は政治的な思想を強め、自衛隊に体験入隊し、民兵組織「楯の会」を結成。一九七〇年十一月二十五日、自衛隊市ヶ谷駐屯地で自衛隊員にクーデターをうながす演説のち、日本刀での割腹自殺をとげ、社会に大きな衝撃を与えた。

▼『仮面の告白』
一九四九年に発表された、三島由紀夫の自伝的長編小説。幼少期から自身の同性愛傾向を自覚していた「私」の性的側面を中心に、青年期までの物語が詩的かつ客観的な分析によって描かれる。三島が二十四歳にして文壇に認められるきっかけとなった、初期の代表作。

その不安のために夜々、輾転し、呻吟し、発狂しかけた事さへあります。

（同「第一の手記」から）

前半は例によって「わからない」といっていますが、後半は、「ひとと食い違ってしまうこと」への不安、人間関係、関係をどうとり結んだらいいのか、ということに対する不安が問題にされている。どうやら、「わからない」と繰り返しているのはレトリックのようです。人間自体がわからないのではなくて、人間相互の食い違い、つまり人間関係に対する不安が問題なのです。

自分は、皆にあいそがいいかはりに、「友情」といふものを、いちども実感した事が無く、堀木のやうな遊び友達は別として、いつさいの付き合ひは、ただ苦痛を覚えるばかりで、その苦痛をもみほぐさうとして懸命にお道化を演じて、かへつて、へとへとになり、わづかに知り合つてゐるひとの顔を、それに似た顔をさへ、往来などで見掛けても、ぎよつとして、一瞬、めまひするほどの不快な戦慄に襲はれる有様で、人に好かれる事は知つてゐても、人を愛する能力に於いては欠けてゐるところがあるやうでした。

（同「第三の手記」から）

関係に対するおびえ、とでも言ったらよいのでしょうか、こうした感性は非常に普遍的なもので、自分の世界に閉じこもっていれば済むのかもしれないけれど、そうはいかない。それならば、どういうふうに目の前にいる相手と関係をとり結べばいいのか、という不安。こうしたものは、現代人、とくに若い世代に訴えかけるものがありますね。

『人間失格』の主人公は、ことさらに自分がダメであることを強調してみせる。何もそこまで、と思うくらいに自己卑下をします。それによって、「ダメな自分」と「そうではない相手」のあいだに距離をつくる。わざとダメな自分を強調している。でも相手はそんなにうまく距離を作ってくれずにどんどん主人公の内側に踏み込んできます。そうして最後は本当にどうしようもなくなってしまう物語なのです。

時代を超えて読み継がれる理由

時代によって受け止められ方が変わっていくのが名作の条件なのかもしれません。たとえば、奥野健男さんという評論家が七十年前に書いて有名になった『太宰治論』があります。「ぼく」と太宰の関係を語る、というとても魅力ある文章です。

▼奥野健男
文芸評論家。一九二六年生まれ。東芝中央研究所に勤務する化学技術者でもあった。一九五六年、『太宰治論――人間像と思想の成立――』を発表して注目を集め、数々の評論および作家論を著した。『〝間〟の構造』で平林たい子文学賞、『三島由紀夫伝説』で芸術選奨文部大臣賞を受賞。一九九七年没。

太宰治の文学に共感する人々、あるいは何らかの意味で関心を抱かずにいられない人々、換言すれば、精神の内部に複雑なるコンプレックスを抱かざるを得ない性格の人々にとつて、彼の、生涯をかけて行つた方法を検討してみることは重要なことです。その時、ぼくたちの前に彼が再び新しい意味を持つて擡頭(たいとう)して来るのを感ぜざるを得ません。今日における巨大な政治というメカニズムに人間が隷属している悪質な現実に対し、ぼくたちがいかに生きていこうかと考える時、つまり個人の自由と、社会への倫理性をいかに処理すべきかという問題に対し、太宰はきわめて印象的な、解決を呈示しているように思えるのです。

ああ、この人は太宰が大好きなんだ、と私も夢中になって読んだものです。でも、時間を経ていまあらためて読み返してみると、ある種の違和感をおぼえます。たとえば、社会に対する倫理の答えを太宰が出してくれる、という読み方をしているところとか。これが書かれたのは戦後まだ間もないころで、当時の情況に対して、太宰が身をもって戦ってくれているのだと。悪質な現実社会に立ち向かう「戦う太宰治」像というのが根幹にあったわけですね。そこに太宰が支持されるポイントがあったわけです。

でも、いまの時代、『人間失格』はかなり違う受け止め方をされている。周りのひととの付き合い方がわからない、本当は一人でいたいけれど、まったくひとと関わらないわけにもいかない、適度な距離を取りたい。でもうまくいかなくて、ひとを近づけすぎて後悔したり、反対に遠ざけすぎて寂しさを感じたり。そういう現代的な意味での孤独に訴えかけてくるから、太宰作品は今日まで生き延びているのではないでしょうか。「太宰の文体はブログの文体のようだ」といわれることもあります。現代的な、ネット社会の孤独にマッチする要素があることも、太宰が時代を超えて読み継がれている要因なのかもしれません。

言葉への絶望と期待

太宰は『人間失格』のほかにも優れた作品をたくさん残していますが、どれも言葉というものへの徹底的なこだわりが感じられます。たとえば、『新ハムレット』▼という、シェイクスピアのパロディがある。ハムレットはオフィーリアにこういいます。

本当に愛してゐるならば、無意識に愛の言葉も出るものだ。どもりながらでもよい。たった一言でもよい。せつぱつまつた言葉が、出るものだ。猫だつて、鳩だつて、鳴いてるぢやないか。言葉の無い愛情なんて、古今東西、どこを捜してもございませんでした、とお母さんに、

▼『新ハムレット』
シェイクスピアの四大悲劇のひとつである『ハムレット』を題材に、一九四一年に発表された長編小説。表題作「新ハムレット」は、原作の戯曲形式を踏襲しつつ、現代人の心理的葛藤を盛り込んだ意欲作。

そう伝へてくれ。愛は言葉だ。言葉が無くなれや、同時にこの世の中に、愛情も無くなるんだ。愛が言葉以外に、実体として何かあると思つてゐたら、大間違ひだ。

▼『お伽草紙』という小説集には「浦島太郎」のパロディがあるのですが、ここに出てくる亀は毒舌家です。自分を助けてくれた浦島に対して「俺もずいぶん安く買い叩かれたものだ」などということを平気でいう。そんな亀は浦島を竜宮城へ連れて行くのだけれども、そこは言葉のない世界だった。亀は語ります。

言葉といふものは、生きてゐる事の不安から、芽ばえて来たものぢやないですかね。腐つた土から赤い毒きのこが生えて出るやうに、生命の不安が言葉を醗酵させてゐるのぢやないのですか。よろこびの言葉もあるにはありますが、それにさへなほ、いやらしい工夫がほどこされてゐるぢやありませんか。人間は、よろこびの中にさへ、不安を感じてゐるのでせうかね。人間の言葉はみんな工夫です。気取つたものです。不安の無いところには、何もそんな、いやらしい工夫など必要ないでせう。私は乙姫が、ものを言つたのを聞いた事が無い。

『新ハムレット』は言葉にしなければわからない、といい、『お伽草紙』は、

▼**『お伽草紙』** 誰もが知る日本の民話を題材に、一九四五年に発表された短編小説集。「瘤取り」「浦島さん」「カチカチ山」「舌切雀」の四編を収録。太平洋戦争末期に防空壕の中で執筆され、敗戦後に出版された。

言葉なんてしょせん、工夫に過ぎない、と言っている。一見逆のように見えますが、実はこれは一つのことの裏と表なのではないでしょうか。言葉はとても不自由なものですが、その不自由な言葉を使わないと私たちはコミュニケーションを取ることができないという、絶望と期待。太宰は繰り返し、いろいろな作品で、こうした言葉への絶望と期待を説き続けているのです。

「僕だけにわかる」魅力

『道化の華』という小説は、太宰がある女性と心中をしようとして、相手だけが亡くなってしまった、という体験が基になっている作品です。主人公は葉蔵という小説家で、物語が進んでいくのですが、突然物語が中断して、舞台裏のお話が始まります。

> 僕はこの小説を雰囲気のロマンスにしたかつたのである。はじめの数頁でぐるぐる渦を巻いた雰囲気をつくつて置いて、それを少しづつのどかに解きほぐして行きたいと祈つてゐたのであつた。不手際をかこちつつ、どうやらここまでは筆をすすめて来た。しかし、土崩瓦解である。
>
> 許して呉れ！　嘘だ。とぼけたのだ。みんな僕のわざとしたことな

▼『道化の華』
一九三五年に発表された短編小説。二十一歳のときに銀座のバー・ホリウッドの女給田部シメ子（通称田辺あつみ）と心中を試み、自身だけが生き残った経験をもとにした半自伝的作品。主人公の大庭葉蔵はのちに発表された『人間失格』の主人公と同姓同名である。

のだ。書いてゐるうちに、その、雰囲気のロマンスなぞといふことが気はづかしくなつて来て、僕がわざとぶちこはしたまでのことなのである。（…）

なにもかもさらけ出す。ほんたうは、僕はこの小説の一句一句の描写の間に、僕といふ男の顔を出させて、言はでものことをひとくさり述べさせたのにも、ずるい考へがあつてのことなのだ。僕は、それを読者に気づかせずに、あの僕でもつて、こつそり特異なニユアンスを作品にもりたかつたのである。それは日本にまだないハイカラな作風であると自惚れてゐた。しかし、敗北した。いや、僕はこの敗北の告白をも、この小説のプランのなかにかぞへてゐた筈である。できれば僕は、もすこしあとでそれを言ひたかつた。いや、この言葉をさへ、僕ははじめから用意してゐたやうな気がする。ああ、もう僕を信ずるな。僕の言ふことをひとことも信ずるな。

ここまできて一行空白があり、また物語に戻っていきます。そしてしばらくするとまた作者が出てきて、「本当は僕はこういうつもりで書きたかったのだけれど、だめだねえ」といい出すのです。こうしたところから、太宰の文体はいつしか「自意識過剰の饒舌体」と呼ばれるようになった。

奥野健男さんは太宰のこの書き方を「潜在的二人称」と名付けています。もちろん活字になっている以上、「きみだけ」のはずはないのですが、みんな、「きみだけはわかってくれる」という言葉を信じてしまうわけですね。

太宰はこの作品を通して、言葉を相手に伝えるのがいかに難しいものか、でもそれ以外に手立てのない、われわれの宿命のようなものを伝えたかったのではないでしょうか。

太宰の作品は、「言葉によるコミュニケーションの難しさを語る言葉を持っている」文学なのだと思います。

体験から経験へ、経験からキーワードへ

太宰のほかに、私は高校時代、哲学者の森有正▼さんの書いたものを読んで感銘を受けました。彼の「経験と体験とは違う」という思想に惹かれたのです。「体験」は誰もがしますが、「経験」は誰でもするものではありません。経験とは個々の体験から、自分にとって何が大事なのかを見つけて、自分にとっての意味を凝縮していく力のことです。そのためには訓練が必要ですが、実はそれこそが文学的な意味での教養なのではないでしょうか。

みなさんもこれから社会に出ると、年上のひとから、「たいした経験もしていないくせに」などといわれることがあるかもしれません。でも、そのひとがいっているのは「経験」ではなくて「体験」のことです。四十歳のひとは、

▼**森有正**
哲学者、フランス文学者。一九一一年生まれ。初代文部大臣・森有礼の孫にあたる。東京大学仏文科卒業後、東京大学助教授在職中に渡仏。一九五〇年、デカルト、パスカルの研究のかたわら、『遥かなノートル・ダム』などの著書で「経験」を思索の中心に据えた執筆活動を行った。一九七六年没。五五年からはパリで教鞭を執った。

二十歳のひとの二倍の人生体験をしていますが、二倍の人生経験をしているとは限りません。一度しか海を見たことのないひとが、海辺で育ったひとよりも遥かに海の本質を理解していることもあるでしょう。要は、いかに体験を経験に煮詰めていくか、なのでしょうね。

「体験から経験へ、経験からキーワードへ」とでもいったらよいのでしょうか。体験を煮詰めていくと、最終的には非常にぶっきらぼうな一言、つまりキーワードに行きつくものなのです。同時にそれは交換不可能なものでもある。互いに理解しがたい。それを思いやり、想像していく力をつけなければなりません。

もし言葉ですべての意思疎通が可能だとしたら、大学に文学部なんていらない。文学は、まさに太宰の書き続けてきた「言葉とはなんて難しくて不自由で不思議なのだろう」という問題意識から出発する学問です。言葉がいかにひとを傷つけるのか、いかに不自由なものかを学ぶために文学はあるのです。そのうえで、自分の経験由来のキーワードを見つけ出していくのが文学的な知性なのでしょう。自分の大切にしたいキーワードをいくつ持てるか。これが、人生を豊かにするポイントなのだと思います。

Q&A

――私も太宰治が好きで、「自分にしか太宰を理解できない」と思ったこともあります。大人になると「若いころに読んでいたなあ」と思うようになるというのは、「潜在的二人称」が青少年にしか響かない、ということなのでしょうか。

太宰は「青春のはしか」なんていわれていたこともあります。人間は歳をとればとるほど、自分がどれだけ偉いかを肯定的に語るようになる傾向がありますが、実は自分の欠点ばかり目についてしまうみなさんくらいの年代の感性のほうがはるかに真っ当だと思います。「個性が大切だ」といいますが、実際、個性はそんなに肯定的に語れるものではない。「みんなはできるのに私にはできない」というマイナスな形で自覚されることのほうが多い。実は第三者から見るとそれは何ものにも代えがたいそのひとの特色だったりするわけですが。個性は本来、否定形でしか話せないものだと思います。太宰の作品は、そこに訴えかけてくる。「太宰治は卒業した」とニヤニヤ笑いながらいうひとには本当に腹が立ちますね。ずっと卒業しないでください。

わたしの思い出の授業、思い出の先生

Q1：思い出の授業を教えてください
Q2：その授業が記憶に残っている理由はなんですか？
Q3：その授業は人生を変えましたか？

都立新宿高校に在学中、中野博之さんという先生に現代文を教わりました。高校三年の現代文の授業で、小林秀雄の「西行」を扱ったのですが、西行がなぜ出家したか、その理由はどうでもよい、西行と共に忘れよう、という一節を先生は指さされ、ここに小林秀雄の批評のエッセンスが凝縮している。その理由を説明しなさい、と問われたのです。おそるおそる手をあげ、「一体化説」というのを提案してみたのですが、先生はその場では特に何もおっしゃらなかった。けれども後でそれを評価してくださっていたことがわかり、大きな励みになりました。当初は文学に関心はなかったのですが、結局文学研究の道に進むきっかけになったのかもしれません。そのときは無自覚でも、人はそれぞれ、生涯を左右するような、小さくてかけがえのない瞬間をもっているものなのだと思います。

わたしの仕事をもっと知るための3冊

安藤宏『太宰治 —— 弱さを演じるということ』（ちくま新書）
安藤宏『「私」をつくる —— 近代小説の試み』（岩波新書）
安藤宏『日本近代小説史　新装版』（中公選書）

脳から見る言葉の力

なぜ紙の本が人にとって必要なのか

酒井邦嘉

さかい・くによし＝言語脳科学者。一九六四年生まれ。マサチューセッツ工科大学客員研究員を経て、東京大学大学院教授。『言語の脳科学』で毎日出版文化賞、脳機能マッピングによる言語処理機構の解明により塚原仲晃記念賞を受賞。著書に『科学者という仕事』『脳を創る読書』『チョムスキーと言語脳科学』『勉強しないで身につく英語』など。

みなさんは、子どものときからタブレットやスマホといった電子機器に囲まれながら暮らしてきた世代です。私の学生時代には、スマホのような小型の端末は夢のまた夢でした。私は二〇一一年に『脳を創る読書』を書きましたが、きっかけは「紙の本」が危機にさらされて、電子教科書が使われ始めたことです。そのときにこう考えたのです。「脳を創るのは、言葉の意味を補う想像力だ」と。この想像力は読書を通じて鍛えられるものです。

みなさんは日々メールやSNSを見ているでしょう。その意味では、私の学生時代には考えられない量のテキストを目にしています。決して文字離れの世代とはいえません。ただ、こうしたデジタル環境にさらされて、読み方が粗くなっているかもしれません。

本を読むときに大切なこと、それは書かれていないことを読むことです。「行間を読む」とか「眼光紙背（しはい）に徹す」といった言葉がありますが、それは紙の向こうにあるもの、つまり、本を書いたひとの思いを読み取ろうとすることです。「なぜそんなふうに書いたのだろう」と想像すること。読書の効果とは、そうした想像力が自然に高められることです。みなさんも読書をすることで、深い思索に耽（ふけ）る結果、自分の言葉で考える力が身につくのです。

「十代に紙の本を読む意味」

本を読むことは、十代にとって本当に大切なことです。みなさんは勉強や学習を、無理して頑張るものだと思われているかもしれません。でもそうすると長続きしません。なぜなら、長続きするのは好きなことだけだからです。ですから、みなさんには好きなことを仕事にしてほしい。「どうしてこういう仕事をしているのですか」と問われて、「好きだからです」と答えられたら無理のない自然な生き方をしていることになります。これから社会に出て、自分が一番好きで得意なことをやれたら一番いいのです。

　私たちの脳は日々変わっています。その証拠に新しいことを覚えても、すぐに忘れたり、覚え直したりを繰り返していますね。覚えることも忘れることも、すべて脳の働きです。体で覚えるわけではない。脳に刻まれることが、新たな発想を生んでいくのです。脳の回路は、みなさんくらいの歳にほぼ完成します。

その後は微調整。その微調整は生涯続きますが、大きな変化はみなさんくらいの歳で終わります。特定の才能を引き出したり、自分の脳にとって一番自然な能力を高めたり、読書はそうしたことにも深く関わっているのです。

みなさんはまだ紙の本に対するイメージをもてる世代ですね。紙の本のメリットは、まずページという手がかりがあることです。ページ単位で情報が構成されている。いってみれば、一〇〇ページの本は百台分のタブレットに匹敵するくらいです。

紙の本は、それぞれのページの余白に書き込むことができますし、時間をかけずに開きたいページを開くことができます。タブレットやスマホだと、スクロールして行きつ戻りつしてしまうので意外と手間がかかる。繰り返し読まなければならない学習では、紙の本に敵（かな）うものはありません。一回だけさっと読んで済む内容であれば電子書籍でもいいでしょう。しかしじっくり読んで、何が伏線で、どこが面白くて、何が驚きなのか、それを考えながら深く味わいたいと思ったら、やはり紙の本が必要になってきます。

私は今朝、手書きの手紙を書いて投函したのち、こちらに来る電車に乗りました。じつは万年筆のインクが途中で切れて、最初から書き直しました。書くときは相手のことを想像します。こんなことを読んだら笑うだろうなとか、こんなふうに書いたら喜んでもらえるかなと想像する。時間をかけると相手の反応まで想像できる。だから書き直すことは決して無駄ではありません。自分がページに書き込んだことを後で思い返すときがありますね。その書き込みが、何かを考えるときの手がかりになるのです。そうした付加的な情報がみなさんの記憶を助け、思考を促すのです。

いま危惧すべきは検索です。みなさんは知らないことがあるとまず検索するでしょう。キーワードを入れれば、すぐ結果がわかる。この「すぐ結果がわかる」ことがいけない。自分の頭を使う前に検索で出てきた情報を、検証することなく鵜呑(うの)みにし、結局考えることをしなくなっている。そうすると受け身になって短絡的な反応しかできなくなってしまう。検索ツールは人間の想像力と敵対する道具です。それにみなさんが日々慣れてしまっているのです。

なぜ人間だけが創造的なのか?

図1を見てください。「入力↓分析↓?↓合成↓出力」とあります。じつはみなさんはこの過程を脳でいつも繰り返しています。入力から分析の部分を「認識」といいます。大事なのは、入力と出力の真ん中、「分析↓?↓合成」の部分です。

もし入力と出力を直接結びつけるだけなら、脳はいりません。指をはさんで痛かったら手をぱっと引っ込めますね。そのときじつは脳を使っていません。脊髄反射による行動で、これは生きる戦略としては適切です。脳を使うと行動

▼図1

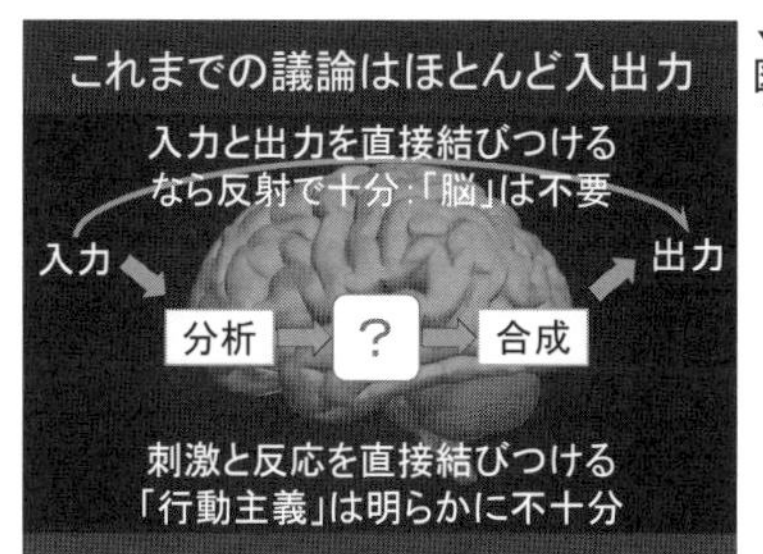

が遅くなり危険なわけです。しかし脊髄反射で行動していくだけになると、脳を使わないことの裏返しとして、今度は賢い判断ができなくなってしまう。研究者でも、先ほどの「分析→?→合成」のクエスチョンマーク部分を気にしないひとがじつは多いのです。

心理学では刺激と反応を直接結びつける「行動主義」という学派があります。この行動主義心理学は、言語はすべて後天的な経験を通じて学習されるものであるとしてきました。それに対して、これからお話しする言語学者のノーム・チョムスキーは、「人間の言語能力はもともと生まれつきある能力で、勉強も学習もいらない」ことを明らかにしたのです。

チョムスキーの学説は、「言語生得説」といいます。ひとは三~四歳になるまでの驚くほど短期間で言葉を話せるようになります。そのもととなる文法をチョムスキーは普遍文法と呼びました。「分析→?→合成」のクエスチョンマークの部分は、普遍文法だとしたのです。

先ほど行動主義心理学をあげましたが、霊長類の研究者も普遍文法を否定しようとします。霊長類は人間に一番近い種だという思い込みから、霊長類も教育を受け訓練すれば、言語が身に付くという間違った考えが昔からなくならないのです。チンパンジーに手話を教えようとするような不毛な試みが何度もされています。

しかし、人間だけが、新しい創造的なものを作れるのです。その理由は、こ

▼行動主義心理学
人間の心理の諸現象は、行動の側面から探究できるとする。一九一〇年代にアメリカのジョン・ワトソンによって提唱され、その後、バラス・スキナーらが体系化した。

▼ノーム・チョムスキー
言語学者。一九二八年、アメリカ・フィラデルフィア生まれ。人間の言語能力は生得的なものであるとする「言語生得説」を提唱し、現代言語学に革命を起こす。ベトナム戦争反対の論陣を張るなど、アメリカの平和主義思想家としても知られる。

▼普遍文法
あらゆる言語には普遍的な基盤があるとする、チョムスキーが

の普遍文法が人間にはあって、他の動物にはないからです。普遍文法があるおかげで、脳に入ってきたものを分析し、その結果を組み直して自分の言葉で再構成したり合成したりできる。この普遍文法は入出力に対して「中立」です。入力にも、出力にも、肩入れしない。ですから研究がむずかしい。脳のなかの一番のブラックボックスといえます。私はそこを研究しています。

私は脳の使い方を万華鏡に喩えています。最近手に入れてお気に入りなのは、細野朝士さんという万華鏡作家の作品です。ちょっと回すとなかでオイルが動いて、花火のように模様が鮮やかにブルーやレッドに変化していく。同じパターンは二度と現れません。人間の言語は、万華鏡みたいに新しい組み合わせを次々と生み出し、しかも尽きることがないのです。

ですから、もう新しい小説は書けないなどということには決してならないですし、「五七五」の十七字しかなくても、常に新しい俳句ができるのです。

「世界のすべての言語は二股構造」

普遍文法について、具体的な例を挙げながらお話をしましょう。「みにくいあひるの子」はアンデルセンの童話ですね。

図2の上の図を見てください。言葉と言葉を結んでいる線に注目してください。最初に「あひるの」と「子」を線で結びます。その上にさらに線を伸ば

▼図2

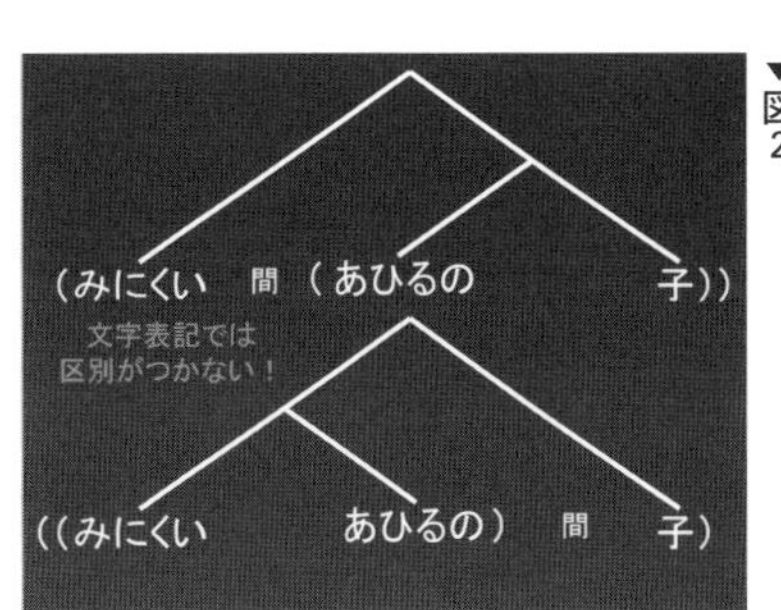

提唱した理論。一九五七年の『Syntactic Structures』などで提唱された。言語は決まった生成規則で枝分かれしていくことから生成文法とも呼ばれる。

▼**細野朝士**
万華鏡作家。一九六九年生まれ。ステンレスや真鍮の筒を使った作品で変幻自在な世界を作る。

して「みにくい」と結ぶ。すると二階建ての家のようになります。このように何度も二股に枝分かれする構造を「木構造」と呼びます。チョムスキーは、言語はすべて二股だけの木構造になることを発見しました。この木構造は、日本語でも英語でもどんな言語でも共通します。

ところで、「みにくいあひるの子」には、二通りの木構造が考えられます。「みにくい、子あひる」となり、後者は「みにくいあひるが産んだ子」となります。つまり、こんな短い言葉であっても、二つの意味がじつは隠れていたのです。

図2をもう一度見てください。「みにくい　あひるの子」と「みにくい」と「あひるの子」のあいだに「間」を入れて読むと、「あひるの子がみにくい」となって伝わります。「みにくいあひるの　子」となると、「みにくいあひるが産んだ子」という意味で伝わるのです。

たとえば友人の失敗について、「君のせいじゃない」とメールで送ったとします。相手は、この一文を「君のせいじゃないんだよ」とも取れますし、「君のせいじゃないか！」という意味にも取れる。みなさんも本当に友だちと会話をしたいと思ったら、スマホではなく、会って目を見て声を出して話すように心がけてください。そういう意味だったのかと誤解なく真意を伝えられることでしょう。だから大事な話はテキストに頼ってはいけません。

木構造は、あらゆる創造性の原点だといえます。みなさんがこれから素晴らしい漫画、素晴らしい詩、素晴らしい音楽を作りたいと思ったら、木構造を極めていけば良いのです。この木構造はみなさんの脳のなかに既に種として備わっています。あとはそれをどう引き出し成長させるかです。自分でそれをできるひともいれば、先生やコーチが引き出してくれるひともいるでしょう。

図3を見てください。下のほうは、三つ股になっています。「みにくい」「あひるの」「子」の三つを一箇所でつないでしまうとどうなるでしょうか。二つの意味の区別がつかなくなってしまいますね。チョムスキーは、あらゆる人間の言語はすべて二股の木構造で、三つ股は許されないというのです。言語は二股でなければならないので、「みにくいあひるの子」は、「みにくい-あひるの子」か、「みにくいあひるの-子」か、どちらもあり得るわけです。

「言語と音楽に共通するもの」

図4を見てください。どちらの意味であるかを区別するために、「間」の代わりに、フレーズとして二つを結ぶことも可能です。これだけで文がよく理解できるようになる。フレーズの役割がわかったときに、私は音楽のスラーの意味がわかりました。スラーとは、音符の連なりに付いている架け橋のような線のことです。音をなめらかにつなぐという指示です。

このように言語学と音楽には、共通点があります。それは二つの音楽用語か

▼図3

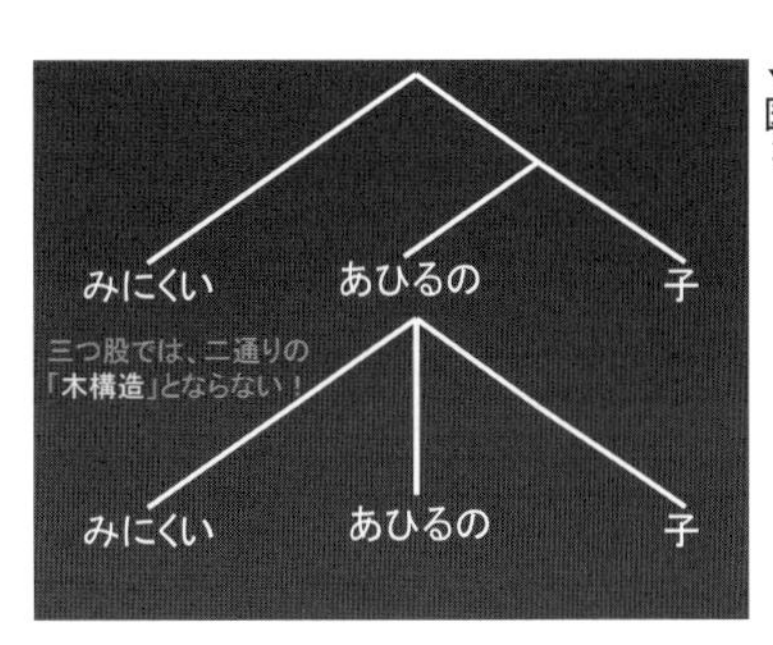

▼図4

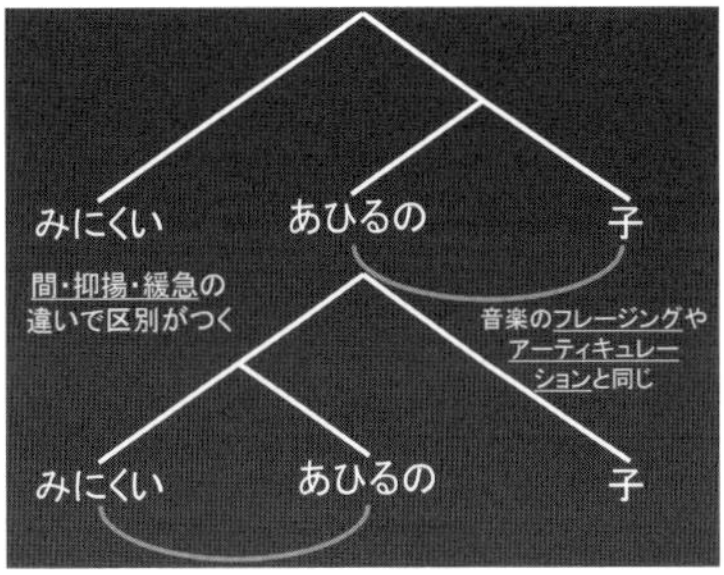

ら見ることができます。一つは「フレージング」という区切りのことで、音や単語同士をつないでまとまりを作って、その区切りに「間」を入れる操作のことです。先ほどのスラーもフレージングの一つです。もう一つは「アーティキュレーション」で、複数の音に抑揚（強弱や高低のアクセント）や緩急の変化をつけることでまとまりをつくることです。

図４の上の図の場合、「みにくい」に対して「あひるの子」の部分で読むスピードを速くする、つまりアッチェレランドするとよいでしょう。下の図の場合には、「あひるの」あたりでゆっくり、リタルダンドする。音楽記号を使えば、「間」を入れなくても区別はつくのです。まさに言語と音楽は同じだったのですね。

最近グレン・グールドを繰り返し聴いています。カナダのピアニストで、バッハの曲を中心に弾いているのですが、彼はなぜバッハを弾くのか。バッハは音楽の基礎には構造があることを見抜いたのです。それは対位法と呼ばれる理論で、バッハが体系化しました。その構造を使って発展させていくと、音楽が素晴らしい芸術になることをバッハは見つけた。グールドはそれを体現したのです。言葉の構造も同じです。

創造のコツは「入力は少なく、出力は多く」

図5を見てください。「私は昨日家で……りんごを食べた」とあります。「……」

▼アッチェレランド
音楽の速度記号の一つ。「次第に速く」の意味。

▼リタルダンド
音楽の速度記号の一つ。「次第に遅く」の意味。

▼グレン・グールド
カナダのピアニスト。一九三二年生まれ。バッハの「ゴルトベルク変奏曲」を収録したアルバム（一九五六年）が世界的な評価を得る。一九六四年にコンサート活動から引退、以後レコード録音と放送に専念する。脚の長さが四本で異なる専用の低い椅子に座り、ときにハミングをしながら演奏した。一九八二年没。

▼対位法
同時に響くいくつかの旋律を、ある規則体系に従い組み合わせる方法。バッハが集大成を築いた。和声法と並ぶ西洋音楽の音楽理論の根幹。

の部分に文を足していきます。たとえば、「私は昨日家で田舎から送ってきた熟れておいしそうなりんごを食べた」とできる。「田舎から送ってきた熟れておいしそうな」の部分はさらにいくらでも加えられる。そのことを言語学では「可能無限」と呼んでいます。もっと長い文にして、本一冊分くらいの一文にすることも可能でしょう。このような繰り返しのことを「再帰的」といいます。つまり、一度できた文に再び帰って、もう一度言葉を足していくわけです。

ただし、「昨日」と「食べた」は必ず対応しなくてはいけません。なぜなら、「私は昨日家でりんごを食べよう」としたら変でしょう。「私は明日家でりんごを食べよう」なら問題ない。「昨日」とあれば、「食べた」と過去形にしなくてはならない。その時制の一致が「呼応」です。これは英語でも同じで、どうして時制が大事なのか、と思うかもしれませんが、それには人間の言語の構造があるからなのです。

図6を見てください。入力は「聞く＞読む」、出力は「話す＞書く」と示したのは、聞くことが読むことよりも情報が多いことを意味しています。そして話すほうが書くよりも情報が多い。先ほど説明したように、話すときには「間」が入ってフレージングやアーティキュレーションが加わるので、情報が多いのです。

入力から出力の流れは次のようになります。入力から「想像」となり、「認知↕生成↕思考」が行われ、「創造」となって出力される。それを踏まえてい

▼図5

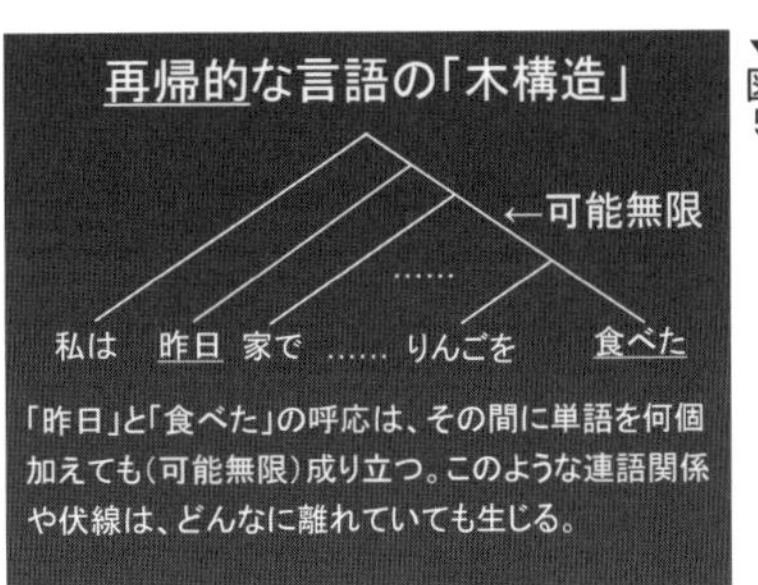

▼図6

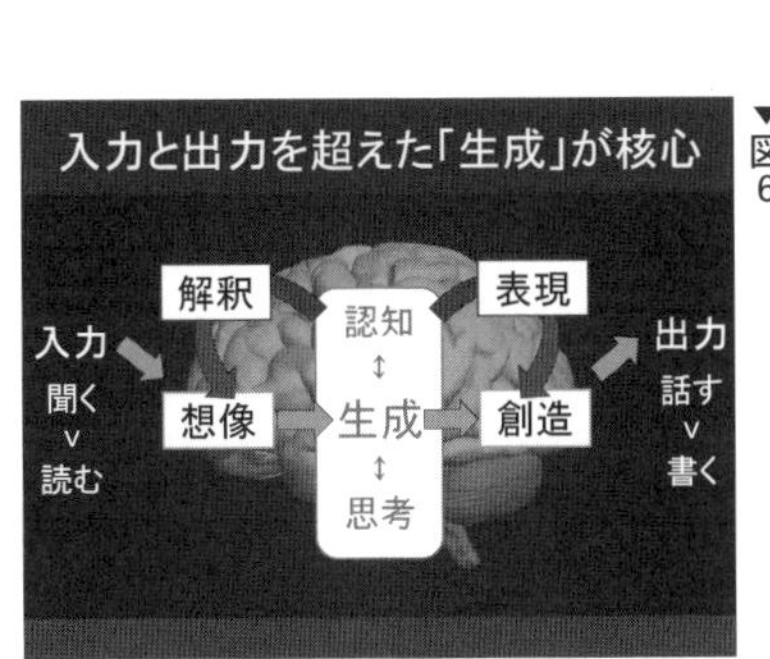

えることがあります。聞いたり読んだりするとき、想像力を働かせるためには、できる限り入力を少なくすることとです。入力が少ない状態で、正しく解釈するには想像力で補わなければならないからです。

一方、話したり書いたりするときには、表現を高める創造力が必要です。そのトレーニングはできる限りたくさん書くことです。そうすればみなさんにクリエイティブな力がどんどんついてきます。日記でもブログでもいいですから日常的にできることから始めてみる。そうすれば言葉の力が自然と鍛えられます。

まとめます。言語能力を鍛えるにはどうすればよいか。「読む・聞く」とは想像力です。これには入力を適度に少なくすること。そして「話す・書く」とは創造力です。これには出力をできるだけ多くすること。ひと言でいえば「入力は少なく、出力は多く」です。

最後に、脳科学的なコツをお伝えしましょう。

人間の脳には、記憶を徹底的に消すメカニズムがありません。ですから、嫌なことは忘れること。これに尽きます。嫌なことを何度も思い返すと、トラウマとなって自分を苦しめます。ですから本当に嫌なことはさっぱり忘れて、「いまから私は新しい人間になりました」と思い直すことです。

ですから、忘れることを気にしてはいけません。するとみなさんは、明日のテストのことを忘れては困ると思うでしょう。そういう場合は、一生懸命覚え直せばいいのです。それには、できる限り紙に書き込んだり、思い出せる手がかりを豊富にすることです。

みなさんが脳から心を磨き、言葉を大切にされることを願っています。

Q&A

――僕たちが認識している世界があります。いまこうして目で見て、現実の景色が広がっている。そのことを脳科学はどう説明しているのでしょうか。

まず、脳のなかで認識している世界のいくつかには、現実に存在しないものも含まれるのです。錯視とか錯覚という言葉を聞いたことがあるでしょう。私たちの脳は周囲のものをそのまま知覚を通して受け取っているわけではありません。また、人は認識に対して解釈を加えようとします。解釈ができないと、見えていても「見た」ことになりません。みなさんが何かを認識した時点で、脳がこうだと当たりをつけているのです。つまり人間の脳は完璧ではありません。解釈によって世界を見ようという働きがあるということは、想像力が高まれば、見えないものも見えるようになってくる、ということです。これが人間の認識の面白いところです。

――相手の心を動かしやすい言葉というものはありますか。

相手の心を動かす言葉を見つけるには、相手にとって一番身近な言葉を探すことです。海外のひとであれば、まずそのひとが使っている言語を身につけることが一番なのです。

――私はいま塾で映像による授業を受けていますが、映像は繰り返し聞けるので、講義に触れる回数は多い。しかし思い返してみると、対面の授業のほうが身になっていることが多い。映像を通して情報を得るのと、実際にそこにいるひとの話を聞いているのとでは、どういう違いがあるのでしょうか。

リアルに話したり聞いたりした体験は、忘れにくいものです。それは実際にその場で同級生といっしょに授業を受けた体験が、みなさんの脳に残っているからです。一方、映像は、居間で見ようとベッドの上で見ようと同じで、そういう体験は脳に残ることが少ない。とはいえ、ある映像を一心不乱に見続けたとすると、それは強烈な体験としてあなたの脳に刻まれることでしょう。映像だからいけないということではなく、あなたがどのくらい自分の心を映像に注ぎ込むかという問題なのです。

――高校三年生です。私は普段からいろいろなことを想像しすぎてしまうタイプです。こうしたら相手はどう思うだろうかとか。考えすぎて一人で抱え込んでしまうことがある。どうしたらいいでしょうか。

最近、絵本作家の角野（かどの）栄子さんを取材した番組を見ていたのですが、とても面白かったです。八十七歳のいまも想像力の塊です。角野さんが二十四歳でブラジルに渡ったとき、ポルトガル語を喋れなかったので誰も心を開いてくれなかった。あるとき、下宿の窓を開けたら外の風が入ってきた。その瞬間に、「ああ、私ここで生きていけるって気持ちになったのよ」とおっしゃっていた。その体験が『魔女の宅急便』の魔女の少女キキに反映されているそうです。

うまくいかないとき、ひとりで悩んで想像力が空回りしているときに、そうした体験が解決のきっかけとなります。あなたのなかで空回りしているような想像力を一度開放してやってください。そして得られる感性を大切にすることです。

――私が受験する学校には面接があります。その練習をしていますが、先生に目が泳いでしまっていると指摘されます。それでひとの目を見つめていると、今度は威圧的だというアドバイスをもらいます。どのようにしたらよいか悩んでいます。

ひとを見るときのコツは、目と目のあいだの鼻のあたりを見ることです。私がそうするようになったのは、手話を覚えてからです。手話の基本は目を合わせることです。目を少しそらしただけで、別の意味になってしまいます。手話は顔の表情全部を使うのです。人間の脳はフォーカスしたところしか細かいものを見られないのですが、慣れれば周辺視も使えるようになります。そして自分は相手の話に関心があるということを自然と伝えるのが一番だと思います。

わたしの思い出の授業、思い出の先生

Q1：思い出の授業を教えてください

高校（筑波大学附属高等学校）での新島弘先生による音楽の授業です。

Q2：その授業が記憶に残っている理由はなんですか？

音楽の授業では、本格的なスタインウェイのグランドピアノが使われていました。そのうちの１回の授業では、ムソルグスキー作曲のピアノ組曲「展覧会の絵」を全曲演奏してくださいました。私は一番前の席で聴いていて、この大曲を演奏する先生の姿がいまでも目に焼き付いています。新島先生は、大ピアニストのウラディミール・ホロヴィッツ（1903 ～ 1989）を敬愛されていて、音楽室にはホロヴィッツの肖像画だけが掲げられていました。

Q3：その授業は人生を変えましたか？

音楽のもつ表現力と、演奏の情熱に圧倒されました。音楽が言葉と同じくらい雄弁であることを初めて知りました。そして、本物に触れられる授業こそが理想の授業だと確信しました。大学の教員になって以来、どんな講義や講演でも情熱をもって聞き手に語りかけるように努めています。

わたしの仕事をもっと知るための3冊

酒井邦嘉『チョムスキーと言語脳科学』（インターナショナル新書）

ノーム・チョムスキー『統辞構造論』（福井直樹・辻子美保子 訳、岩波文庫）

酒井邦嘉『勉強しないで身につく英語――脳科学による画期的メソッド』（ＰＨＰ研究所）

批評は楽しむために

北村紗衣

みなさんは、「大学の文学の先生」にどのようなイメージがありますか。座って本を読んでいる姿を思い浮かべる方が多いのではないかと思います。ですが、私がしているのは、探偵かタイムエージェントのようなお仕事です。

私は、ウィリアム・シェイクスピアの作品やその映画化・舞台芸術史と受容史を研究しています。

博士論文では、十六世紀末から十七世紀ロンドンの劇団付作家であるシェイクスピアの芝居を、十八世紀半ばまでの女性の観客や読者がどのように受容していたかについて、女性による批評や翻案を分析して研究しました。また、世界の図書館を回り、古い本を見て、そこに書き込まれた持ち主の名前やメモ書きから、来歴、移動経路、持ち主である女性の暮らしを追跡する、ということもしています。SNSに投稿されたシェイクスピア劇の感想を抽出するという研究もしています。

こういった研究活動で集めた材料を分析する際に私が用いるのが、フェミニ

きたむら・さえ＝英文学者、批評家。武蔵大学人文学部准教授。一九八三年生まれ。東京大学大学院（学術修士）、英国キングス・カレッジ・ロンドンPh.D.取得。シェイクスピア研究のほか、ウィキペディアの執筆・編集・執筆者育成も行っている。著書に『シェイクスピア劇を楽しんだ女性たち』『批評の教室』『お嬢さんと嘘と男たちのデス・ロード』ほか多数。

ズム批評、あるいはフェミニスト批評という手法です。本日はみなさんに、批評、とくにフェミニズム批評とはなにかをご紹介し、体験してもらおうと思います。

批評の二つの役割

批評には、非常にざっくりいってふたつの役割があります。ひとつは「ある作品の解釈を提供する」ということ。作品がどのようなことを表現しているのか、作中に出てくる描写やモチーフはなにを象徴しているのかを考えるのが解釈です。もうひとつの役割は、「作品の価値づけをする」こと。その作品がなぜよいのか、あるいはなぜ悪いのか、根拠を挙げて分析することを「価値づけ」と呼びます。

批評というと難しそうに聞こえるかもしれませんが、気づいていないだけで、みなさんも日常生活のなかで「基本的な批評」をしているのです。たとえば、友だちにある作品を薦めるときに「ここがこういうふうによいので観てほしい」と伝えることがあると思いますが、これも「価値づけ」であり、批評であるといえます。

また、批評家のなかには「自分は価値づけをしていない」というひともいますが、批評において価値づけをしないというのは難しいことだと思います。新聞や雑誌の書評を思い浮かべてみてください。書評を読んで、その本を読むべ

▼**ウィリアム・シェイクスピア**
近世イングランドの劇作家。一五六四年生まれ。『ハムレット』『マクベス』『オセロ』『リア王』『ロミオとジュリエット』『真夏の夜の夢』など多くの作品を残し、その戯曲は現代でも数多く上演されている。

きかどうか判断することがありますね。この判断ができるのは、作品に対してレビュワーにより「価値づけ」がなされているからです。

じつは、作品は単体では価値づけできません。ほかのさまざまな作品と比較して、新しく巧(たく)みなところを分析し、その作品の立場を決めるのが批評です。つまり、作品は独立に存在しているのではなく、ほかの作品との関係で成立しているのです。ゆえに、批評と作品は相互補完的なものであるといえます。批評がなければ作品はないし、作品がなければ批評もない。批評は作品の単なる添え物ではありません。こうした批評の重要性は、ちょっとひねった形ではありますが、十九世紀末の劇作家で批評家のオスカー・ワイルド▼が指摘していることでもあります。ワイルドは『芸術家としての批評家』のなかで、批評はクリエイティブなプロセスであり、批評家は芸術家である、ということを指摘しています。

批評が共同体を作る

また、上記の二つの役割のほかに、批評にはコミュニティを作る機能もあります。研究者のスタンリー・フィッシュ▼が提案した専門用語に「解釈共同体」というものがあります。批評をする際、どのような方針で解釈していくか戦略を立てます。この「解釈戦略」ごとにコミュニティがある、というのがフィッ

▼オスカー・ワイルド
アイルランド出身で十九世紀末ブリテン諸島を代表する作家、批評家。一八五四年生まれ。ひねったユーモアが有名である。小説『ドリアン・グレイの肖像』、童話『幸せな王子』、戯曲『サロメ』『真面目が肝心』などが有名。一九〇〇年没。

▼スタンリー・フィッシュ
アメリカの文芸批評家、文学者、法学者。一九三八年生まれ。カリフォルニア大学バークレー校、ジョンズ・ホプキンス大学、デューク大学などで英文学の教鞭を執った。解釈共同体論の提唱者であり、ミルトンの研究者でもある。邦訳されている著書に『このクラスにテクストはありますか』（小林昌夫訳、みすず書房）。

シュの考え方なのです。それぞれに解釈戦略をもった解釈共同体どうしが議論をすることで、蓋然性の低そうな解釈が捨てられ、説得力のある解釈に支持が集まる、というモデルです。簡単にいうと、作品について考えたいひとたちがコミュニティを作るということで、日常生活でもよく見かけますね。たとえば、Filmarksなどのレビューサイトを覗いてみると、一つの作品にさまざまなひとが細かい感想を書いてシェアしています。これは、作品の周りにちいさな共同体ができている、ということなのです。「自分」と「作品」に加えて「批評を読んでくれるひと」がいて、はじめてコミュニケーションが発生し、共同体が成立するのです。

この共同体には、作品の価値を決める芸術的機能がある一方で、経済的機能や社会的機能もあります。ある作品が流行る（はやる）と、グッズが出たりイベントが開催されたりして、ファンダム（ファンの世界）による経済的な効果が生まれます。

また、社会的機能についてはこんな例があります。ハリー・ポッター・シリーズに「日刊予言者新聞」という新聞が出てくるのですが、これを実際にネットで作っていた子どものファンがいました。原書の版元はこの活動に対して寛容だったのですが、映画化権を取得したワーナー・ブラザーズが二次創作や翻案を取り締まろうとしたのです。それに対して、ハリー・ポッターのファンダムの中心にいた子どもたちが、ワーナーに自分たちのファン活動を妨害するなと訴える運動を始めました。このように、ファンコミュニティがその活動の自由

▶Filmarks
映画レビューサイト。会員登録をすれば誰でも、映画に評価をつけたりレビューを書き込んだりすることができる。（https://filmarks.com）

▶ハリー・ポッター
イギリスのファンタジー作家J・K・ローリングによる小説シリーズ。主人公の魔法使いハリーと、魔法の世界を脅かす闇の魔法使いとの戦いを描く。一九九七年から二〇〇七年にかけて刊行され、世界的ベストセラーとなった。映画は二〇〇一年から公開され、こちらも世界的に大ヒットした。日本では松岡佑子訳で静山社より刊行されている。

を求めて制作者と対立し、社会的な行動を起こすこともあるのです。

「解釈に正解はあるのか」

ここまで、批評の役割と機能についてご紹介しました。ここからは、一つ目の役割として登場した「解釈」について、とくに文芸作品に絞ってお話しします。

総じて、正しい解釈はありませんが、間違った解釈はあります。「文学には間違った解釈はない」というひとがいるのですが、これは間違っています。間違った解釈とは、フィクション内の事実認定に反した解釈です。

たとえば『ハムレット』▼。ハムレットはお父さんが不審な死に方をしたことにずっと悩んでいます。あるとき亡霊に犯人は叔父だと告げられたハムレットは、それが本当のことなのか確かめようとします。これについて、「ハムレットの父を殺したのはハムレットの叔父ではない」という解釈をするひとがたまにいますが、これは間違っています。なぜ間違っているかというと、第三幕第三場に、ハムレットの叔父であるクローディウスがひざまずき、兄殺しの罪について神に赦(ゆる)しを乞う場面があるからです。ここを丸ごと無視するか、あるいは「この場面は全部ハムレットの妄想です」とでもいわない限り、「ハムレットの叔父がハムレットの父を殺していない」と考えるのは事実認定という点で整合性がとれません。他にも、たとえばすごく派手な色合いのアニメーション

▼**『ハムレット』** シェイクスピアが執筆した戯曲。父王を殺されたデンマークの王子ハムレットによる復讐が引き起こす悲劇を描く。

や映画を、あたかも地味な色合いであるかのように論じたら、それは間違った解釈であると思います。フィクション内の事実認定に反した解釈は「明らかに間違っている」といえます。

繰り返しますが、間違った解釈はあっても、正しい解釈はありません。ただ、解釈のなかにも説得力の高いものと低いもの、より正しそうな解釈とより正しくなさそうな解釈があることはたしかです。「正しい解釈はないのだから、どのような解釈をしてもいいではないか」という意見には、「どのような解釈をしてもいいですが、間違うこともありますよ」という留保が必要なのです。

「著者は何者なのか」

それでは、解釈を呼び、価値づけをさせ、共同体を作り出す「作品」の著者とは、どのような存在なのでしょうか。著者は自作に権力を及ぼし、解釈を統制する万能の存在であると考えられがちですが、本当にそうなのでしょうか。「著者とは誰であるか」「著者はどのような立場から作品を執筆しているか」という二つの視点から考えていきましょう。

一人しか著者がいないと考えられているテクストでも意外とそうではない、ということがよくあります。たとえば、みなさんが授業のレポートを書くとき、一人ひとり、著者として自分の名前を書いて提出しますね。ですがそのレポートは、講義をした先生やディスカッションしたクラスメイトの影響を受けて書かれているはずなのです。また、小説や漫画には編集者がいて、作品にはその編集者の手が加わっています。私が『批評の教室』を書いたときも、編集者からの変更や加筆の提案にたくさん応えました。映画や演劇だと、脚本家や劇作家以外にも、監督、演出家、役者、照明、衣装など、作品のさまざまなパートを受け持つ役割のひとがたくさん関わっています。ハリウッド映画だと一つの作品に数百人が関わっていることもあり、クリエイティブな面で大きな権限をもつひとも多くいます。この場合、作品の作者が一人であるとはとうていいえないでしょう。私の研究しているシェイクスピアも劇団付きの作家だったので、劇団のスターの見せ場を作らなければならない、劇場の装置に合うストーリーを作らないといけない、などの制約がありました。

作家が一人で書いたように見える作品に、家族が関わっていることもあります。これはジェンダーの問題も関わってきますが、夫が書いた原稿を妻にタイプさせていて、文章のおかしいところや誤字脱字を直してもらったり、感想をもらって書き直したりしていた、というように、協働者の影響がある作品もしばしばあるのです。

あるいは、著者が不明のテクスト、後世の人の手が大きく加わっていると考えられているテクストもあります。中世の詩には誰が著者だかわからなくなってしまったものも多く存在しますし、たとえばシェイクスピアだと、『マクベ▼

▼『**マクベス**』
シェイクスピア四大悲劇のひとつ。魔女の予言を信じて王を殺して王座についた将軍マクベスが、やがて復讐されて破滅するさまを描く。

ス』でヘカテーが出てくる場面はあとから別の劇作家が付け加えたのではないか、ともいわれています。

このように、作品の批評をする際には、その作品がたった一人の作家によって生み出されたものである、と決めてかかるのではなく、「そもそも著者は誰だろうか」ということを考えなくてはいけません。

ロマン主義以降では一人の著者がクローズアップされることが多くなりますが、著者が意識していなかったバイアスや社会的背景が作品から読み取れることがあります。みなさんも日常生活で、意識せずに偏見に基づいた発言をしてひとを傷つけてしまったことはありませんか。これは、自分で発した言葉を自分で制御しきれていないということです。差別するつもりで差別をしていたらかなり悪質ですが、ほとんどのひとは、うっかり、差別する意図なく、偏見に基づいたことをいいます。

作品も同じで、作者が意識していないものというのが作品に出てしまうことがある、ということを知っていることが大切なのです。作品は世に出た瞬間に著者の手を離れます。異なった文化的背景をもったいろいろな読み手が作品を受容して、解釈を作り出す。そのとき、著者の意図が何だったのかは重視しなくてもよいのです。そして、優れた批評は著者が考えもしなかったような斬新な解釈を引き出すことができます。

ここまで見てきてわかるように、著者の意図を考えるまえに、そもそも共同制作者や関係者をどこまで「著者」と呼ぶかをよく考えなければなりません。そこをクリアしても、著者の意図は意外と作品に及んでおらず、また、技術的な限界や書き癖、バイアスや社会的背景によって著者が作品をコントロールしきれていないことがしばしばある、ということを念頭において考える必要があるのです。

ただ、著者の境遇や時代背景、試みをすべて無視してもいいのかというと、そういうわけでもありません。ここには、この作品はこういう状況下で著者がこんなことを考えて作った、ということを考慮したうえで無視する、複雑なプロセスが必要になってきます。とくに大切なのが、テクストがどういう状況から出てきて、どういう状況下で受容されたのかを考える、ということです。ここで登場する手法のひとつが、「フェミニスト（フェミニズム）批評」です。

フェミニスト批評とは

フェミニスト批評とは、これまでニュートラルだとされていた読み方はじつは無意識に男性中心的なものに偏っていたということを出発点に、ジェンダーに着目した批評を行う、というものです。つまり、「いままでの批評は男子文化中心であり、男子文化的な作品が男子文化の問題点を問われずに評価されているが、それはよくないのではないか」と疑問を投げかけるのがフェミニスト批評です。

具体的には、「作品に書かれた女性像に着目する」「男性作家に比べて冷遇されてきた女性作家に光を当てる」「隠れた性差別を暴く」など、いろいろなことを行います。

それから、社会的に作られたものとしての男性性や女性性を切り口にテクストを分析するのもフェミニスト批評です。文化的に「男らしい」とか「女らしい」とされているものを問い直すのです。さらに私は、女性や少数派のひとたちがどのようにテクストを受容していたのかについても探っています。

一六二三年から一八〇一年までの主要なシェイクスピア批評を集めた『ウィリアム・シェイクスピア――批評の遺産』（Brian Vickers ed. *Shakespeare: The Critical Heritage*, 6 vols, Routledge, 1974-81）というアンソロジーには全部で三百九編の批評が入っていますが、そのなかに女性が書いたと思われる批評は五編しかありません。女性が批評家や研究者になる道が閉ざされていて、有名になったとしてもなぜか忘れられてしまいます。それによって、文学界の男性中心的な文化が保存されてしまっています。いまでも学問や文学の世界は男性中心的で、意識的にジェンダーバランスを揃えないと論集の寄稿者やイベントの登壇者は男性ばかりになってしまいますね。編者や人選をするひとが意識的に性差別をしようとしているわけではないのですが、なぜか男性ばかり集めてしまって、それが視点の偏りを生み、助長してしまっています。

フェミニスト批評を行う上で重要なのが、書かれていないものに注目する力です。高校までは「書かれていないものを読み取ってはいけない」と習うと思いますが、大学以降の批評では、「書かれていないことはなにか」という問いを立てます。私はいつも「著者が意図していることではなく隠していることに着目してください」と学生に伝えています。

「踊る女性」の表象

それでは、具体的にフェミニスト批評を実践してみましょう。スパイク・ジョーンズ監督が撮った、KENZO▼というブランドの香水のCMがあります。

主人公は、元バレリーナの俳優であるマーガレット・クアリー演じる女性です。お行儀良くドレスをまとい、にこやかにおとなしくイベントに出席しています。そのうち、つまらないイベントに飽き飽きして会場を飛び出したその女性は、荒々しくて暴力的な動きをしたりものを壊したりして野性的に踊りだす、という内容です。鬱屈していたおとなしそうな女性が自分の野性を解放する、というストーリーになっています。

それでは、どうして香水のCMにこのようなストーリーがついたのでしょうか。女性用香水のCMというと、美女が「この香水は男性にモテる香りで

▼**KENZO**
デザイナー高田賢三が設立したフランスのファッションブランド。ここで扱うKENZO WORLDのCM「My Mutant Brain」は二〇一六年に発表されたもので、俳優・ダンサーのマーガレット・クアリーが出演している。
KENZO World – My Mutant Brain
(https://www.youtube.com/watch?v=H-TsLTQQ_Eg)

すよ」というようなメッセージを発する、ステレオタイプなものになりがちです。ですが、KENZOはこの香水を誰かにモテたいと思っている女性ではなく、おとなしくするのに飽き飽きしている女性に売りたい、と考えたのでしょう。そこで、このようなCMが制作された、と考えられます。

このCMには他にもいろいろなコンテクストがあります。同じ監督がかなり前にこれの中年男性版を作っています。二〇〇一年発表の、ファットボーイ・スリム▼'Weapon Of Choice'のミュージックビデオです。踊っているのは元ダンサーで俳優であるクリストファー・ウォーケンです。監督にとって、保守的な環境でおとなしそうにしているひとの魂を解放する手段は「ダンス」であることが見えてきます。ただ、出演者が男性か女性かで使っている動きにかなり違いがあり、今度はそこにジェンダーの格差が見えてきます。

さらに、KENZOのCMが発表された直後に、ミュージシャンのテイラー・スウィフト▼が'Delicate'という曲をリリースしました。この曲のミュージックビデオは当初、「KENZOのパクリ」といわれていました。内容は、スターとしての人生に疲れ果てたテイラーが突如として透明人間になり、誰の目にも自分の姿が見えていないのをいいことに通行人の前でふざけてみたり、変な踊りをはじめたりする、というものです。テイラーとそのチームはKENZOのCMを参照して、「疲れている女性が自分を解放するためにダンスをする」というフォーマットは多くのひとにアピールすると考えたのでしょ

▼ファットボーイ・スリム
イギリスのDJ、ミュージシャンのノーマン・クックによるソロプロジェクト。
Fatboy Slim ft. Bootsy Collins - Weapon Of Choice
(https://www.youtube.com/watch?v=wCDIYvFmgW8)

▼テイラー・スウィフト
アメリカのシンガー・ソングライター。一九八九年生まれ。グラミー賞を十一回受賞している。
Taylor Swift - Delicate
(https://www.youtube.com/watch?v=tCXGJQYZ9JA)

う。KENZOのCMは後世のビデオに影響を与えているといえます。

このように、作品をそれ一つだけで見るのではなく他の作品と比べることによって、ジェンダーや社会的状況の文脈のなかで考えることができるようになっていきます。フェミニスト批評はこのようなことを行っています。


批評は基本的に、楽しむためにするものです。作品から読み取れたことを細かく伝え、他のひとがそれについてどう考えたかを聞いてみると、作品の見方が深まって、一つの作品を何度でも楽しめるようになる、そのために批評をする、というのが私の考えていることです。テイラーのビデオの背景に何があるかな、とか、知っているとちょっと面白くなると思うんですよね。テクストに書いていないことやテクストが隠していることを読み取れるようになるともっと楽しくなるし、その作品が他の作品とどのような関係でできているのかということも考えると、作品をどんどん面白く読めるようになっていきます。

Q&A

——ある作品への解釈は、どの程度の深さまで行われるべきなのでしょうか。

基本的には、気が済むまで解釈したらいいと思います。作品中の五行について深く追究していってもいいし、全体を読んで気になったところすべてに印をつけていってもいいです。本筋に関係ないのに繰り返し出てくる道具やモチー

フが気になったら、そのモチーフに注目するのもありです。ぜひ、読みたいところまで読み込んでみてください。

わたしの思い出の授業、思い出の先生

Q1：思い出の授業を教えてください

東大で受けた河合祥一郎先生の『ハムレット』に関する講義です。

Q2：その授業が記憶に残っている理由はなんですか？

シェイクスピアの戯曲をこんなに面白く読めるのかと思ったからです。

Q3：その授業は人生を変えましたか？

私がシェイクスピア研究をするにあたり、この講義を受けたのが2つ目の分かれ道だったと思います（1つ目は中学生のときにレオナルド・ディカプリオが出た映画『ロミオ＋ジュリエット』を見たことです）。

わたしの仕事をもっと知るための3冊

北村紗衣『批評の教室――チョウのように読み、ハチのように書く』（ちくま新書）

大橋洋一編『現代批評理論のすべて』（新書館）

ノエル・キャロル『批評について――芸術批評の哲学』（森功次訳、勁草書房）

第5章

AIに代替されない思考法

「本当の自分」なんてどこにもいない

夏目房之介

なつめ・ふさのすけ＝漫画コラムニスト、マンガ家、エッセイスト。一九五〇年、東京都生まれ。青山学院大学史学科卒。七二年、マンガ家デビュー。九六〜二〇〇九年まで「NHK BSマンガ夜話」レギュラー、〇八〜二〇年まで学習院大学文学部教授を務める。漫画批評に新たな地平を切り開いた功績により九九年、第三回手塚治虫文化賞特別賞受賞。漫画、イラスト、エッセイ、テレビ出演など多ジャンルにわたる表現活動で活躍中。夏目漱石の孫。著書に『手塚治虫はどこにいる』『孫が読む漱石』など多数。

僕は小学生のときは落ちこぼれでした。でも、落ちこぼれだったことはとても重要だったと、いまになって思います。僕は漫画を描いたり、漫画コラムニストをやったり、テレビに出たり、大学で教えたりと色々なことをしてきましたが、それは優秀じゃなかったからです。優秀じゃなかったからこそ、自分の好きなことに救われたり、自分とは何かについて真剣に考えたりすることができたのです。今日はみなさんに「人間は変われる」ということ、そのために「自分とは何かを知る」ということについてお話ししたいと思います。

小学生のころは戦後ベビーブームの時代で、五十人くらいのクラスがいくつもありました。そのなかで僕は本当にぼんやりしていて、忘れ物の王者でした。親切な先生が「忘れ物ノート」をつくってくれたのですが、そのノートを忘れてしまう。最後には手に直接書かれる始末でした。

でも、遊びを発明することにかけては天才でした。友だちを引き連れて、「ここは宇宙空間だ」といって宇宙飛行士になりきるなどして、日がな一日遊んでいました。半世紀近く経ったあとの同窓会で会った、その当時一番仲が良かった優等生は、僕のことを「芸術家だ」と思っていたそうです。彼のように優秀なひとがどうして僕と友だちだったのだろうと思っていたのですが、彼にとって僕は自由奔放で、憧れの存在だったようです。不思議なものですね。彼が優秀な一方、僕はまったく勉強ができなかった。分数を見れば、数字と数字のあいだにある棒は何だろうとずっと考えているような子どもでした。

そんな僕でしたが、中学受験をしようと小学校高学年から突然勉強を始めます。なぜあんな衝動に駆られたのか、いまだにわかりません。ただ、高学年になり「自分はダメな奴だ」という引け目を感じ始めて、なんとか変わりたかったのだと思います。そして、いまから思うと本当に無謀なのですが、青山学院大学の中等部だけを受験しました。誰も僕が受かるなんて期待しておらず、受験の前に模擬面接をしてくれた校長先生には「青学だけが学校じゃないよ」といわれました。ところが、なんと受かってしまったのです。

「地面にめりこむくらい暗かった」十代

こうして青山学院中等部に進んだわけですが、みなさんと同じ十代のころは僕にとって地獄のようでした。その理由は、僕の家族にあります。ご存じの方も多いと思いますが、僕の祖父は夏目漱石です。「夏目」という名字をもつ漱石の孫は僕だけです。そして、夏目金之助という漱石の本名を知っているひとなら、この名字と「房之介」という名前でぴんとくるわけです。小学生のときはみんな夏目漱石のことをあまり知らなかったので、僕もまったく自覚がありませんでした。ところが中学生になると教科書に載っていることもあり、僕が漱石の孫だと周囲全員が知っている状況になりました。

当時の僕は、この「漱石の孫」という属性で自分を見られるのがとても嫌でした。「祖父なんか関係ない。自分は自分だ！」と思っていました。十代のころの僕は根拠のないプライドだけで生きていて、自意識の塊だったのです。この祖父の存在が、僕にとってものすごいプレッシャーでした。さらに、同じクラスの女の子が僕の顔を見て「おじいさんはハンサムなのにね」といったのです。これはグサッときました。十代の人間にこんなことをいっちゃダメです。それ以来、友だちが一人もいない、とても暗い人間になってしまいました。

半世紀後、当時の同級生に会ったら「夏目くんは、地面にめりこむくらい暗かった」といわれました。まったくその通りで、返す言葉がありません。地面ばかり見て、ひとと目を合わせていませんでしたから。例の女の子にも再会しました。でも、僕にいったことはまったく覚えていませんでした。ひとは意識なくひとを傷つけてしまう。傷つくほうも勝手に傷つく。気をつけろといって

▼**夏目漱石**
作家、評論家、英文学者、俳人。一八六七年生まれ。明治から大正初期にかけて活躍した近代日本を代表する作家の一人。ロンドン留学、第一高等学校教授を経て一九〇五～六年に最初の作品『吾輩は猫である』を発表。〇七年、朝日新聞の専属作家となり『三四郎』（一九〇八年）、『こゝろ』（一九一四年）、『明暗』（一九一六年）など数々の作品を発表した。一九一六年没。

もこれは気をつけようがないです。しょうがないものなんだと思います。それに、十代は傷ついていくものです。

「マンガだけが救いだった」

そんな自分の唯一の取り柄がマンガだったのです。小学生のころ、僕は「マンガのなっちゃん」と呼ばれていたほどマンガを描くのが得意でした。中学生、高校生になってもマンガは描き続けていました。ただ、いまと違って、当時はマンガを描いたり読んだりすることはかなり珍しく、褒められたことではなかったです。だから、周囲には秘密にしていました。一度だけ、親友に自分が描いたマンガを見せたことがあります。ギャグマンガではないのに、すごく笑われました。それ以来、大学で漫研に入るまで、自分が描いたマンガは二度と他人に見せませんでした。僕が十代のころですらそうだったのですから、先日亡くなった藤子不二雄Ⓐ▼先生がマンガ家を志したころはもっと大変だったと思います。先生は「トキワ荘があったから」とおっしゃっていました。仲間がいたからやっていくことができたのでしょうね。

中学生になると趣味がマニアックになって、マンガやアニメの記事を切り抜いたスクラップ、ノート、「マンガ映画帳」をつくるようになりました（これはつい最近までやっていました。のちには歴史や政治といったさまざまなジャンルでもノートを

▼**藤子不二雄Ⓐ**
漫画家。一九三四年生まれ。本名・安孫子素雄。手塚治虫の「新寶島」に衝撃を受け、小学校時代から藤本弘（藤子・F・不二雄）と漫画家を志し、藤子不二雄の共同ペンネームで活躍。『オバケのQ太郎』『忍者ハットリくん』『笑ゥせぇるすまん』『まんが道』などのヒット作を飛ばした。一九八七年にコンビを解消し、藤子不二雄Ⓐとして活動を開始。映画のプロデュースやエッセイの執筆など、多彩な才能を見せた。二〇二二年没。

つくるようになり、自分の仕事に大いに役立ちました）。このノートをつくり始めたのは、一九六三年。この年はわれわれマンガ好きにとって記憶すべき、とても大事な年です。なぜなら、この年に手塚治虫先生の『鉄腕アトム』のテレビアニメ放送が始まったからです。当時は「アニメ」ではなく、「漫画映画」と呼ばれていました。この「鉄腕アトム」が大ヒットして、同じ年には「鉄人28号」「エイトマン」「狼少年ケン」といったアニメが次々につくられていきました。いわゆる「アニメ」は、「鉄腕アトム」から生まれた言葉なのです。

また、暗くなってしまった当時の自分が夢中で読んだのは、一九六四年創刊の漫画雑誌「ガロ」や六七年創刊の「COM」です。後者は虫プロが手塚治虫の『火の鳥』を連載するためにつくった雑誌ですが、当時「火の鳥」よりも人気だったのは、永島慎二の『フーテン』という漫画でした。「フーテン」とは一九六〇年代、新宿駅前広場やジャズ喫茶にたむろして詩や絵をつくったり、睡眠薬遊びやシンナーを吸ったりしながら（体に悪いので、みなさんは絶対にやってはいけません）ブラブラしていたひとたちのことです。十代のときの僕は、こういうひとたちにすごく憧れたのです。『フーテン』は彼らをモデルにした漫画でした。登場人物たちがもつ悩みにとても親近感があって、身の丈に合っているような感じがしました。

また、この雑誌は新人発掘に熱心でした。おかげで、たくさんの漫画家や作品に出会えました。印象に残っているのは、青柳裕介の「いきぬき」。これは、

▼手塚治虫
漫画家、アニメ監督、医師。一九二八年生まれ。戦後日本のストーリー漫画の第一人者にして、その後の漫画家、漫画作品に多大な影響を与えた。医学生だった一九四六年、四コマ漫画『マアチャンの日記帳』でデビュー、五〇年代より漫画雑誌に作品を発表するようになり、『鉄腕アトム』『リボンの騎士』『ジャングル大帝』『ブラック・ジャック』『ブッダ』『アドルフに告ぐ』など数々の傑作を発表した。一九八九年没。

▼『鉄腕アトム』
二十一世紀の未来を舞台に、心優しく正義感の強いロボット少年「アトム」が悪に立ち向かう姿を描いたSF作品。一九五二～六八年に「少年」（光文社）に連載され、一九六三～六六年にはフジテレビ系で日本で初めてのテレビアニメとしてシリーズ化され海外でも放映さ

高校までラグビーをやっていたのに、その後暗くなってしまった男の子が主人公の作品です。自分に憧れていた女の子にゴーゴースナックに誘われても、周りと同じように楽しむことができない。自分だけ取り残されているように感じて余計に沈んでしまい、結局ひとりで帰ってしまう。バカですねえ。若いうちは大体においてバカですね。でも、当時は他人事とは思えなかったのです。それから、岡田史子。彼女はのちの少女マンガ界に大きな影響を与えた作家です。男の子が自分の部屋に女の子を案内すると、そこには男の子自身の死体が転がっている、というような、とても詩的で哲学的な作品が多かったです。彼女の作品にも衝撃を受けました。

「みんなが自分の悪口をいっている！」

自分を変えたいという気持ちはずっとありました。六〇年代は若者が初めて既製服でおしゃれをできるようになったころでもあります。VANというブランドが人気で、その洋服を買うために色々なアルバイトをしました。高校生になると少しずつ友だちもできました。彼らからは遊びやジャズや大江健三郎といった文学など、いろいろなことを教えてもらいました。その数少ない友だちと、ヒッチハイクの旅に出たり山登りをしたり。自分を鍛え直すためにテニス部にも入りました。ただ、そうやって色々なことをやるなかで、自分は会社

れるなど大ヒットした。漫画家・手塚治虫の代表作の一つ。

▼「COM」
虫プロ商事から一九六七〜七三年に発刊された漫画雑誌。手塚治虫の「火の鳥」シリーズを連載するほか、石ノ森章太郎、永島慎二、松本零士などの人気作家が作品を発表。また、あだち充、岡田史子、竹宮惠子、諸星大二郎などその後の漫画界を代表する作家も多く輩出した。

▼永島慎二
漫画家。一九三七年生まれ。中学中退後、数々の仕事を転々としたのち、一九五三年『さんしょのピリちゃん』で漫画家デビュー。代表作に『漫画家残酷物語』『花いちもんめ』、自身のフーテン経験を基にした『フーテン』などがある。二〇〇五年没。

▼岡田史子
漫画家。一九四九年生まれ。

組織向きの人間ではないということにも気づきました。かといって飛び抜けた才能があるわけでもない。マンガは描けるけれど売れるとは思えない。自分は社会人としてやっていけるのか、という不安と焦りでいっぱいでした。

そんな気持ちのまま、一九六九年に大学に進学します。当時は学生運動のピークでした。その年の一月には東大全共闘が安田講堂を占拠、機動隊が突入し、陥落するということがありました。また、通っていた青学高等部の隣に大学があったので、学生が建物を占拠する光景はよく見ていました。そういうこともあり、大学に入った途端、自分も学生運動に参加するようになります。でも、とくに思想があったわけではありません。単なる反発心からです。学生運動に参加すれば、自分を変えられるんじゃないかと思ったのです。そんな動機でしたから、当然、あっという間に挫折しました。

その後は大学に行くのをやめ、毎日ジャズ喫茶に入り浸るようになりました。家に帰ると、文章や絵をかく。半年以上、そんな生活を繰り返しました。ジャズ喫茶の大きなスピーカーから流れる大音量の音楽を聴いているときだけは、頭のなかが空っぽになって救われました。

そうやって過ごしていたある日、渋谷のハチ公前の交差点を行き交う人びと全員が、僕の悪口をいっているように感じたのです。こういう生活をしているうちに、だんだん精神的におかしくなってきてしまったんですね。これは強迫神経症からくる関係妄想といいます。そしてこのとき初めて、文豪の祖父と自

一九六七年、手塚治虫主宰の月刊漫画雑誌「ＣＯＭ」で『太陽と骸骨のような少年』を発表しデビュー。神話や詩、文学作品などに影響を受けた詩的な作風で、竹宮惠子、萩尾望都、吉本隆明、四方田犬彦など多くの漫画家、評論家から熱く支持されるほか、その後の漫画作品にも多くの影響を与えた。二〇〇五年没。

▼大江健三郎
小説家。一九三五年生まれ。東京大学在学中に作家としてデビューし、「飼育」により当時最年少の二十三歳で芥川賞を受賞。以来、現代文学の旗手として数々の作品を発表し続ける。一九六七年、『万延元年のフットボール』で歴代最年少の谷崎潤一郎賞のほか、多数の賞を受賞し、九四年、ノーベル文学賞を受賞。ほか代表作に『芽むしり仔撃ち』『個人的な体験』『懐かしい年への手紙』『取り替え

子（チェンジリング）』など。

分との共通点に気づいたのです。有名な話ですが、漱石はこういう関係妄想がさらに病的なひとでした。漱石から自分が引き継いだ資質がこれだったのです。遺伝なんて本当にロクなものじゃないですね。

それ以来、文章を書いたり絵を描いたりすることができなくなりました。どんどん抽象的になってしまう。これも病理的な現象です。自分が生きている意味がわからなくなって、自分なんていないほうがいいとまで思うようになりました。完全な鬱状態です。そして、「自分とは何なのか？」「本当の自分とは何か？」と考えるうちに、時間の感覚も失うようになりました。

「人間は変わることができる」

一九六九年の秋ごろ、渋谷の道玄坂を下りていたときです。ハタと気づきました。「『本当の自分』なんてどこにもいないのじゃないか？」と。人間には、自分がもつ「私」という意識と、他人から見たときの「私」という存在があります。十代のころは、そういう他人がもつ「私」のイメージは幻想で、自分がもつ「私」こそが本当だと思い込み、ずっと自分のなかだけで「私」を探していました。でも、それは穴を掘っているのと一緒です。掘っても掘っても何も見つからない。自分で自分を切り崩しているだけだから、原理的に考えても解答なんてあるはずがないのです。

そのことに気づいて、自分で自分を探すことをついに諦めたときに、ある種の悟りのようなものを得ました。自分が思う自分だけが本当にただ一つしかない「自分」なのではなくて、親兄弟、友人、親戚などの他人から見た「自分」も確かに存在するのだと。しかも、社会的に機能しているのは他人にとっての「自分」のほうです。むしろ、自分だけがもっている「自分」のイメージのほうが幻想といってしまってもいい。ならば、他人から見たときにこうありたいと思う自分を演じればいいのではないか。役者になればいい、と。それが当時、穴のなかで身動きがまったく取れなくなっていた自分が、そこから抜け出す唯一の逃走経路でした。

それからは、こうありたいという自分のイメージをつくり、それを演じるようになりました。たとえば、女の子と付き合い慣れた社交的な人間になってみる。テレビドラマや友人の振る舞いを真似すればいいんです。驚くべき話ですが、これが結構うまくいきました。そして、それから少しずつ穴から抜け出して、ひとと話せるようになっていったのです。

人間は、結局慣れなのだと思います。ひとと話すのにも、一人、二人と少しずつ人数を増やして練習していく。そうやって習慣化していくことで、「自己」が生まれます。十年近くかかりましたが、僕は、そうやって意図的に自分を社交的な人間に変えていきました。

ただ、変わるといっても一〇〇パーセント変わるわけではありません。半分くらい、いや、もっと少ないかもしれない。残りは生涯そのままです。人間はそういうふうにできているのだと思います。僕はもともとあがり症ですが、いまでもあがっています。人前で話すときは、何もプレッシャーがないときの半分くらいの力しか出せません。でも、慣れていくと「これが自分の実力だ」と受け入れられるようになるのです。そうやって受け入れられると、慌てずにあがれるようになります。

そして、自分を変えるには勇気がいります。僕は宇宙と自分の時間を比較するようにしていました。宇宙に比べたら自分の時間なんて本当に無いに等しい。いまここで恥をかいても、百年後には誰も僕のことなんか覚えていない。だから、他人のことなんて気にしても仕方がない。みなさんも、自分を変えたいと思ったら、こう考えるといいですよ。そのうちに、だんだん慣れていきますから。

Q&A

――「鉄腕アトム」のアニメを初めて観たときに、どう感じましたか？

僕は手塚治虫さんが大好きで、小学校のころはこういうひとになりたいと思うくらい、憧れの存在でした。だからアニメを観る前は、「テレビで手塚さんの作品をやる！」とすごく期待しました。でも、実際に観たらがっかりしました。全然動かないんです。アニメが放映された六三年、僕は十三歳でそれなりに批判精神が育っているし、アニメがどうつくられるかも知っていました。当時の僕たちにとって、アニメーションの最高峰はディズニーです。手塚治虫さんもすごく意識していたと思いますが、あのなめらかな動きを知ったうえで観ると、アトムはまるで紙芝居のようでした。でも、その後につくられた「鉄人28号」や「エイトマン」はもっと酷かったです。見るに堪えなくて、僕はアニメから離れました。そして、そこが僕よりも十歳下のオタク世代と違うところでもあります。僕たちはオタクにならず、彼らはオタクになった。それは、生まれたときから当たり前にテレビアニメが放映されていたかいないか、この差が大きいと思いますね。

――自分のなかだけで考えて、自分の穴を掘ることも大事なのではないでしょうか。

それは大事です。やめる必要はない。ところでいま、あなたは自分の意思でものを考えていると思っていませんか。じつは、人間ってほっといてもものを考えるんですよ。なぜなら言葉があるから。言葉は残ってしまうものなんですよね。だから僕たちは、二千年前に書かれたものをいまでも読むことができる。そして言葉っていうものは、存在しないことすら残せるという働きがあるのです。だから僕たちは、「本当の自分」という、存在しないかもしれないことについても考えてしまうんです。これは言葉をもっている以上、自分の意思の有る無しにかかわらず勝手に起こってしまうことだから、止めようとすることが無茶です。もし止めたいなら、坐禅を組むしかないです。だから無理に止める必要はない。ただ、そうやっていろいろ考えるうちに、必ず壁にぶつかるか、迷路に入って抜けられなくなるかします。そういうときは、大勢の大人と同じことをいいますが、本を読むといいですよ。みんな同じ悩みにぶつかって、いろいろなことを考えていますから。いろいろな考え方ややり方を見つけられるという意味で、読書は決して無駄ではないです。

わたしの思い出の授業、思い出の先生

Q1：思い出の授業を教えてください

大学出たての世界史の先生が女の子に騒がれるのが癪で、級友と4人くらいで授業開始時に背を向けて座っていました。先生が「私の授業が気に食わないなら出て行ってけっこうです」といわれ、出て行って近所でお茶してました。ホントにくだらない10代の男の子の反撥なんですが、40年後に先生からそのときのことを「本当に申し訳ないと思った」といわれ、今更凄く反省恐縮しました。若いってロクなもんじゃないです。申し訳ない。いい先生で、彼のおかげで私はフランス革命の構造を理解できたのに。

Q3：その授業は人生を変えましたか?

中等部の歴史の先生もいい先生で、このお二人に教わったこともあって私は歴史が好きになり、大学は歴史学科に進学しました。大学の卒業論文で生まれて初めて勉強が面白いと思い、ずっと後に手塚治虫論を書くとき、引用の仕方とか、教わったことが生きました。そういう意味では変えたかもしれません。

わたしの仕事をもっと知るための3冊

夏目房之介『手塚治虫はどこにいる』（ちくま文庫）

夏目房之介『あの頃マンガは思春期だった』（ちくま文庫）

夏目房之介『マンガの深読み、大人読み』（イースト・プレス）

「考える」ことのレッスン

重田園江

おもだ・そのえ＝明治大学政治経済学部教授。一九六八年生まれ。専門は、現代思想・政治思想史。早稲田大学政治経済学部、日本開発銀行を経て、東京大学大学院総合文化研究科博士課程単位取得退学。著書に『ミシェル・フーコー』『社会契約論』『ホモ・エコノミクス』、『真理の語り手』などがある。

「ものの考え方」を学問に分類すると？

今日お話ししたいのは、理系にも文系にも応用できる「ものの考え方」についてです。これを正式な学問分野に分類するならば、どこに属すると思いますか。

学問分野というのは、大学で学ぶことができる学問のカテゴリーを指します。文系では、人間の思考や営みを扱い「人間とは何か」を探究する人文学や、政治・経済・法律などを含む「社会」のさまざまな面を研究する社会科学。理系では、生命の営みを研究対象とし、暮らしや産業に役立てようとする生命科学や、生命科学とは対照的に、生物以外の自然を扱う物理科学などがあります。

二十一世紀になって、領域を横断するような新しい学問も増えてきました。日本の大学には「総合政策学部」や「国際日本学部」など、一度聞いただけでは何を研究するところなのかわからないような学部も散見されますが、それらはあくまで既存の分野を組み合わせて新しく生み出された学問分野です。

そのなかで、諸学の基盤となる学問中の学問は哲学です。哲学とは、世界や思考の根本や本質をテーマとする知的営みです。したがって、「ものの考え方」を扱う学問は哲学に分類できるといえます。

世界と思考の本質を見極めようとする哲学以外の学問は、いわば応用です。ですから応用の前の基礎固めが重要になります。急に突飛な例を出しますが、ロシア極東のサハ共和国という世界有数の極寒の地があります。ここの永久凍土に杭を打って建てた建物が地球温暖化の影響で傾き、現在危機的状況にあります。基礎が固まっていないのに応用しようとすると、このサハ共和国の建物のようにグラグラして倒壊しそうになります。

そして、ものを考えるときの基本の一つに、具体的なことと一般的なことをいかに結びつけるかがあります。高校生や大学生と話していると、両者の関連づけが苦手なひとが多いんだな、と気づかされます。

その原因は、主に三つあると見ています。一つ目は、少ない具体例から性急に一般的な結論を導き出そうとするから。二つ目は、抽象的なことを具体例に当てはめて咀嚼することができないから。三つ目は、複数の具体例から共通点を見出し、それを一般規則として取り出せていないから。

これらは全て、具体的なものと一般的なものの往還に関わっています。そして、具体と一般を往復して思考することは、レポートを書くときやプレゼンテーションをするとき、実験から結果を得るときなど、さまざまな場面で汎用性があります。つまりとても役に立つ思考のパターンだということです。

「頭のいいひと」はなぜ魅力的に話せるのか

世間で「頭がいい」とされるひとの話には、ついつい引き込まれてしまう魅力がありますよね。そのような人びとに共通する特徴の一つに、やはり具体的なことと一般的なことを往復しながら話を明瞭にしていく能力が高いことが挙げられます。

では実際に説明がうまいひとの話し方の例として「長期化するウクライナ戦争を超マニアック解説」という動画を見てみましょうか。いま世界でもっとも関心が高い話題の一つであるウクライナ戦争に関しての対談です。話しているのは、安全保障や軍事戦略の専門家・高橋杉雄氏です。ロシアはウクライナのウォロディミル・ゼレンスキー大統領を捕まえようとしたのですが、その計画は失敗に終わりました。相手国のリーダーを捕らえることがいかに難しいか解説している場面です。

ロシア側の攻撃のやり方は、最初に電撃侵攻を試みたわけです。ベラルーシ国境からの攻撃と、チェルニヒウを経由しての攻撃がありました。よくいわれているとおり、キーウに対する、あるいはゼレンス

▼長期化するウクライナ戦争を超マニアック解説
文藝春秋 YouTube (https://www.youtube.com/watch?v=mgeAQGtd1qI) より。動画の音声を一部補足して引用。

▼ウクライナ戦争
二〇二二年二月二十四日、プーチン大統領率いるロシアがウクライナに軍事侵攻を開始。サイバー攻撃や情報戦などを組み合わせた戦略をとっており、長期化の様相を呈している。

▼高橋杉雄
防衛省防衛研究所防衛政策研究室長。一九七二年生まれ。著書に『現代戦略論』、共著に『日米同盟とは何か』『「核の忘却」の終わり——核兵器復権の時代』など。

キー大統領に対する特殊部隊による攻撃――攻撃というか、捕縛ないし殺害――を試みたと。（1）

この種の作戦、最初に相手の指導者を殺害するような作戦というのは、歴史上何回か試みられていますが、成功した例は事実上ひとつしかない。（2）

そのひとつというのは、アメリカがパナマに対して行ったジャスト・コーズ作戦で、ノリエガ将軍を捕まえたとき。それ以外はカダフィであるとかビンラディンに対してもかなり長い間失敗していますし、フセイン大統領もその例です。（3）

アメリカでさえその種の指導者を狙って失敗し続けていたので、ロシアが失敗したのは決して驚くべきことではないと。（4）

高橋氏の解説を分解してみましょう。

まず、①の部分ではウクライナの現状を具体的に話しています。次に②では少し引いた目線で、歴史的に、あるいは一般的に、相手側の指導者を殺害することは決して容易ではないといっています。そして③では、成功したたった一つの例と複数の失敗例を列挙していますね。最後に④では現在の戦争にふたたび話を戻し、過去の例を根拠に、ロシアの失敗はなにも驚くようなことではないと結論づけているわけです。具体と一般、過去と現在の往還を短時間で繰り

▼ウォロディミル・ゼレンスキー
ウクライナ第六代大統領。一九七八年生まれ。元俳優・コメディアン。二〇一五～一九年放送の政治風刺ドラマ『国民の僕（しもべ）』で、主演としてウクライナ大統領役を務める。その後、ドラマタイトルと同名の政党を立ち上げ政界入りした。『国民の僕』は現在ネットフリックスで視聴可能となっている。

▼ジャスト・コーズ作戦
一九八九年十二月二〇日、アメリカが中米パナマに行った軍事的侵攻。英語でJust Causeは大義名分。当時のパナマは反米的なマヌエル・ノリエガ将軍による軍事独裁政権で、ノリエガは麻薬組織とも関与していたため、ジョージ・H・W・ブッシュ米大統領は「民主主義の確保、在留アメリカ人の保護、パナマ運河の安全確保、ノリエガ将軍の逮捕」を目的とした侵攻を開始した。

出すことで、高橋氏のお話は非常にわかりやすいものになっていると思います。
次に、ある具体例と別の具体例とを思わぬところで結びつける力も魅力的な話し方と関わってくるという例として、このときの高橋氏の対談相手である軍事研究者・小泉悠▼氏の発言を見てみましょう。

そのタブレット僕も借りてもいいですか？　二人で一個なんで。むかしの独ソ戦のときのソ連兵みたいなね（笑）。二人で一丁しか持たされていないみたいな。

これには少し解説が必要です。独ソ戦▼のときのソ連兵は、物資不足のために一丁の銃を交代で使っていたといわれています。小泉氏はそれを、対談で使うタブレットが二人で一つしかないという状況に当てはめた。ある具体的な事柄からまったく違う事柄に話が飛躍する。その意外性によって笑いを誘っています。
このように具体例を一般的な視点でまとめたり、予想外のやり方で結びつけて活用することができれば、会話というのはぐっと魅力的になると思います。

▼小泉悠
東京大学先端科学技術研究センター講師。一九八二年生まれ。著書に『「帝国」ロシアの地政学——「勢力圏」で読むユーラシア戦略』『現代ロシアの軍事戦略』『ウクライナ戦争』など。

▼独ソ戦
第二次世界大戦におけるナチス・ドイツとソ連間の戦争。一九四一年六月、ナチス・ドイツ軍が独ソ不可侵条約を破ってソ連に侵攻したことに端を発する。ソ連軍の反撃によりナチス・ドイツ軍が敗北。一九四五年五月、ドイツの無条件降伏で終わる。民間人もあわせると、両国から三千万人以上の犠牲者が出たといわれる。

「STAP細胞は、あります」の問題点

具体性と一般性について、理系において一番わかりやすい例は古典物理学の逸話のなかにあります。

物体の落下速度は質量によらず一定であると検証するため、ピサの斜塔から重さのちがうふたつの物体を落としたとされるガリレオ・ガリレイと、りんごが木から落ちるのを見て万有引力の法則についてのひらめきを得たとされるアイザック・ニュートン。ここでのピサの斜塔やリンゴの木のように落下現象が起こる場所のひとつひとつは個別的で具体的なのに、そこに共通点や一般規則を見出すのが、理系学問の基本です。さまざまな現象を観察し、仮説を立て、実験を通して検証する。検証されれば仮説が一般規則となる。そこで起きているのもまた、具体と一般をつなげる思考の往復運動です。

「STAP細胞は、あります」というフレーズで一躍有名になった小保方晴子さんという理化学研究所の研究員がいましたね。STAP細胞という〞万能細胞〞を発見したとして、二〇一四年にイギリスの権威ある科学雑誌『ネイチャー』に論文を発表しました。ところがのちに研究不正が発覚し、地位を追われる結果となりました。

STAP細胞の研究は、批判されたというよりはもはや完全に否定されたのですが、ではなぜ否定されたのでしょうか。それは、仮説の検証ができなかっ

たからです。検証できない仮説は捨てる。これが科学における最低限のルールです。小保方さんらの研究では、具体的なことを一般的水準までもっていくことができなかった。それにもかかわらず、再現と証明ができたかのように強弁したことが一番の問題点でした。

「実験はそもそも信頼できるのか」

小保方さんの例はあまりにも初歩的なつまずきですが、科学の実験における具体と一般の区別はもう少し複雑です。

哲学者のイアン・ハッキング▼が『表現と介入——科学哲学入門』という本のなかで興味深いことをいっています。本の紹介文には「本書は、実験という営みのなかで操作・介入できる対象は存在するという観点を打ち出し、科学の本質をめぐる論争をまったく新たなステージへと導いた」とあります。

少し噛み砕いて説明しますね。たとえば、顕微鏡をのぞいてなんらかの実験結果を得る場合、その道具の質や精度の影響から逃れることはできません。それだけでなく、観察するひとの目のコンディションや時間の余裕の有無によっても、実験結果が左右されるかもしれない。つまりハッキングは、一般規則を発見できたとしても、発見や検証のプロセスにおいて具体的な事象が複雑に介入してしまっているのだから、その一般規則は真に一般的な水準にあるとはい

▼イアン・ハッキング
一九三六年、カナダ生まれ。専門は科学哲学。ケンブリッジ大学、スタンフォード大学、トロント大学などで教鞭をとる。重田園江・石原英樹訳の著書に『偶然を飼いならす——統計学と第二次科学革命』がある。

えないのではないかと指摘しているわけです。

スティーヴン・シェイピン、サイモン・シャッファー著の『リヴァイアサンと空気ポンプ――ホッブズ、ボイル、実験的生活』という書籍にも同様の問題提起があります。空気ポンプで真空実験を繰り返したボイルに対し、哲学者のホッブズは、うまく密閉できているかもわからないこんなずさんな空気ポンプで真空の存在を証明できるわけがないじゃないかと批判しました（当時は「ゴム」がなかったので、金属で密閉を試みました）。さらに、なにも「ない」はずの真空がそこに「ある」なんてどうしていえるのだ、とも。

個別具体的な実験装置の偶然的な素材や制約が、一般的はなずの実験結果に最初から影響を与えてしまっているのではないか。だとすれば、実験で得られた知識は信頼に値しないのではないか。このような問題は、科学において長年議論が交わされてきた奥深いテーマなのです。

「一般化のあやうさ」

次に、現代社会に目を向けてみましょう。科学に限らず普段の生活のなかでも、ある事柄を一般化してしまってよいのか、立ち止まって考えるべき場面があります。

たとえば、ジェンダーステレオタイプ▼を強化するような間違った一般化は日

▼**ジェンダーステレオタイプ**
ジェンダーに対する思い込み。ジェンダーとは、「女らしさ」「男らしさ」のように、社会的・文化的な役割としてつくられた性別のこと。

常会話によく登場しますよね。「女性は愚痴が多い」「女の友情は見せかけだ」とか、「男性はがさつで面倒くさがりだ」「男は女より運転がうまい」というような考えには、一般化に足る根拠があるでしょうか。男女の違いを〝科学〟と称してさらに正当化し強化しようとする、「女性脳」「男性脳」などという言葉もあります。しかし、〝生まれつき〟脳には性差が存在するという主張は、いまや「ニューロセクシズム▼」と呼ばれ、差別と認識されています。

なかでも「女性は数学が苦手だ」というような偏見は、女性の進路選択に深刻な影響を与えてきました。たとえ一定数の女性が数学を得意としていたとしても、それは例外的で珍しいこととみなされ、「女性は数学が苦手」という結論は覆されぬまま偏見としてのこる。そのような主張を繰り返し刷り込まれれば、当の女性もステレオタイプを内面化し、数学が苦手だと思ってしまう。進路として理系を選択する女性が少ない理由の一つには、こういった背景があります。

二〇一八年には、東京医科大学医学部の入試で長年不正行為が行われていたことが発覚しましたよね。大学側は、二〇〇六年度から二〇一八年度の入試で女性や多浪生を不利に扱い得点操作をしていたと認めました。この事件では、女性の合格者が明らかに少なかったのは「女性は理系科目が苦手」だからではなく、大学による差別があったからなのです。元受験生の女性らは訴訟を起こし、二〇二二年の九月、大学に賠償命令が下っています。

▼ニューロセクシズム
男女の思考や得手不得手の違いは、脳の生得的な構造上の性差に基づくとする考え方。

こうした差別は、ジェンダーだけでなく人種においても行われてきました。たとえば、一九九四年にアメリカで刊行され物議を醸したリチャード・ヘアンスタインとチャールズ・マレーによる書『ベルカーブ』。知能テストの結果を釣り鐘型の分布曲線で示し、「黒人の知能の分布は白人より左に寄っている」（つまり、集合的存在として「黒人」「白人」などの人種集団がいると仮定した上で、黒人の知能は平均的に見ると白人やアジア人などより低くなることを暗に示している）と主張したため、黒人差別を正当化するためにデータが利用される危険性があると、懸念の声が多く上がりました。しかし、批判されたことによってかえって話題を呼び、当時はベストセラーとなりました。

最近の日本では、警察官が見た目だけを根拠に、外国にルーツがあると思(おぼ)しきひとに対して職務質問を行う「▼レイシャル・プロファイリング」がたびたび問題になっています。職務質問を受けたひとたちが警察官に問いただすと、「あなたのような外国人は、たいてい危険な凶器かドラッグを持っているから」「日本人でないから」「多くの外国人がオーバーステイをしているから」と返ってきたといいます。これも、差別や偏見に基づく間違った一般化の例ですね。

ものの考え方の基本として、具体的なことと一般的なことを結びつける力はとても重要です。しかし世の中には、一般化できることとそうでないことが存在します。とくに、社会のルールやひとの属性に関わることについては、具体的なことと一般的なことを簡単に結びつけるべきではなく、慎重さが求められ

▼レイシャル・プロファイリング
出典はHUFFPOST。「『外見のみを根拠にせず』警察庁、差別的な職務質問めぐり全国に通知」(https://www.huffingtonpost.jp/entry/story_jp_62c38519e4b00a9334ebe377)

ます。

以上、一般的なものと具体的なものをキーワードに、話し方、科学の実験、社会的偏見について取り上げてきました。今日の講義が、みなさんのものの考え方が少しでも変わるきっかけになれば幸いです。

Q&A

——なぜミシェル・フーコーの研究をしようと思ったのでしょうか?

哲学科に行きたいと思ったのは高校生のときです。ただ、ものごとの真理を追究する純粋な哲学よりも、社会に近い分野がよいと思って政治学科に進学し、政治思想を研究しました。卒業後は就職して銀行員になったものの、性に合わず一年で辞めました。他のひとのできることが自分にはできず、世の中のしきたりなんかにもいちいち腹が立って、とても息苦しかったです。

そんなとき、この窮屈な世界をスカッと批判してくれている思想家はいないだろうかと考えてみたら、それがフーコーでした。たとえばフーコーは『監獄の誕生』で、人びとを権力に服従させるように訓練する監視システムを解明しました。そして、監獄ではたらく権力のメカニズムは、学校から軍隊、工場や病院にまで及んでいるのだと問題提起しました。フーコーは、「権力」や「統治」を突き詰めていくなかで、当たり前とされている世の中の仕組みやものの考え方に疑問を呈し続けた哲学者なのです。

▼**ミシェル・フーコー**
フランスの哲学者。一九二六年生まれ。主な著書に『狂気の歴史』『言葉と物』『監獄の誕生』『性の歴史』など。一九八四年没。

▼**『監獄の誕生』**
一九七五年出版。イギリスの哲学者ジェレミー・ベンサムの提唱した監獄の建築モデル「パノプティコン」を用いて、権力のしくみを明らかにしたことで有名。パノプティコンは、中央の監視塔にいる監視員からは、円状に配置された独房のなかの囚人らを一望することができる一方で、囚人からは監視員が見えない作りとなっている。そのため、囚人は自分がいつ監視されているのか把握することができず、監視されている可能性を常に意識することで自ら進んで権力に服従するようになる、とフーコーは分析した。

自分自身に当てはめて考えてみると、学校や職場でいつもそのような権力に腹を立ててきたことに気づきました。これを研究してみようと思い、大学院に進みました。フーコーを読んで「そうだそうだ！」といっている間にこの歳になっていたようなものです。

わたしの思い出の授業、思い出の先生

Q1：思い出の授業を教えてください

高校のときの国語（現国）の授業。

Q2：その授業が記憶に残っている理由はなんですか?

校門で遅刻者を取り締まるという知性のかけらもない行為を発案した学校に対して、生徒が反発した。生徒の行動を支持する国語教員は「高校は誰のものか考えたことがあるか」と授業時に問いかけた。教員は続けて「学校は生徒のものだ」と発言した。このとき私は生まれて初めて教師の発言に「小さな全共闘」を感じた。

Q3：その授業は人生を変えましたか?

その発言は愛知の公立中高の閉塞感を言い当てており、これからはつねに社会を変える行動、仕事をしようと心に誓った。教員は翌年遠くの高校に「飛ばされ」た。権力と個人の無力さに心が奮い立った思い出です。

わたしの仕事をもっと知るための3冊

ミシェル・フーコー『監獄の誕生——監視と処罰』（新潮社）

重田園江『連帯の哲学Ⅰ——フランス社会連帯主義』（勁草書房）

ジャン＝ジャック・ルソー『社会契約論』（岩波文庫ほか）

まなざしのデザイン
モノの見方を変えるとは

ハナムラチカヒロ

ぼくが学んだランドスケープデザインは、一般的には木を植えたり地形を作るといった環境のデザインを指しますが、「風景（ランドスケープ）」は土地（ランド）だけではなく、それを〝眺める（スケープ）〟ことでも生まれます。だから環境をデザインするだけではなく、「眺め方」をデザインすることでも、新しい風景は生まれてくると考えています。

みなさんにとって毎日通っている通学路は見慣れたものなので、わざわざ立ち止まって、それを「風景」として眺める機会は少ないかもしれません。とくに日々繰り返し目にする物事ほどぼくたちは「まなざし」を向けなくなりますし、当たり前のものほど見方を固定化させます。そうした固定化したまなざしに変化を与えて別のものに変えてみると、見慣れた通学路であっても新しい風景が生まれます。こうした眺め方やモノの見方の設計をぼくは「まなざしのデザイン」と呼んで研究してきました。今日は、このまなざしのデザインの考え

はなむら・ちかひろ＝ランドスケープアーティスト、生命表象学者。大阪公立大学准教授。一九七六年生まれ。大阪府立大学大学院生命環境科学研究科博士後期課程を修了。大規模病院の入院患者に向けたインスタレーション「霧はれて光きたる春」で第一回日本空間デザイン大賞・日本経済新聞社賞受賞。著書に『まなざしのデザイン――〈世界の見方〉を変える方法』『まなざしの革命――世界の見方は変えられる』など。

方をもとに、ぼくたちにとって現実とはどういうものであり、まなざしを広げると世界がどのように変わるのかを一緒に考えていきたいと思います。

「固定化していくまなざし」

「環境」の眺め方によって「風景」が変わるように、「対象」の眺め方によって「現実」も変わります。たとえばコップに水が半分入っている事実に対して、「半分しかない」と見るか、「半分もある」と見るかによって、ぼくたちの現実は変わります。

だから、ぼくたちは状況に応じてモノの見方を自らで柔軟にデザインできれば、現実を変えていくことができるはずです。しかし、一方で、ぼくたちのまなざしは簡単に何かに囚われてしまいます。まなざしを固定化させてしまいます。それが固定観念や「常識」と言われるものです。でも常識とは一体何なのでしょうか。そして常識はどのように生み出されていくのでしょうか。

仮に常識を「その社会で多くのひとが当たり前であると思っていること」とすると、それは無数に挙げられます。「地球は丸い」といった〝知識〟や〝認識〟、「お金は大事」という〝価値観〟も常識に入るでしょう。こうした常識の多くはぼくたちの頭の内側にあるので、ひとによってさまざまですが、それは普段はいちいち確かめられません。そんなぼくたちの常識がもっともわかりやすく見えるのは外側に現れる〝行為〟です。たとえば、コロナ禍以降「感染予防のため人前でマスクをする」といった行為は新しい常識になり、そこから外れると非常識とされてしまいます。

こういった常識の多くは繰り返されるうちに、しだいに誰もが疑うことなく「現実」だと思い込んでいきます。でも、本当は見方を変えるとさまざまな違う現実がそこに生まれるはずです。

一方で、ぼくたちの見方次第で現実がそれぞれ違うとなると社会のルールは成立しません。ですから社会での共通した現実として固定させるように、教育や規則、慣習などを通じて「これが常識である」とある方向にぼくたちのまなざしがデザインされることになります。いまの社会はぼくたちのモノの見方を外からコントロールしようとする力が大きくなっていて、ぼくたちをさまざまな「常識」のなかにつなぎとめようとします。そのコントロールにもっとも影響力をもつのは、テレビやインターネット、SNSなどの「情報」です。とくにマスメディアで繰り返される情報は多くのひとのなかで常識になっていきます。しかし、こういった情報は伝えられる以前に、ある特定の立場から報じられたり、演出されている可能性があることに注意が必要です。たとえばニュースでは出来事の一部が切り取られて解釈されていたり、なかには微妙な印象操作が含まれることもあります。自分で真偽を確かめたわけではない単なる情報が、繰り返し報じられると、それは当たり前になり、しだいに確固たる事実として受け止められるようになるからです。

マスメディアと比べて、多様な意見があるように見えるインターネットやSNSの情報にも罠があります。検索アルゴリズムはそのひとが求める情報を提示するので求めない情報は表示されませんし、またSNSでも自分と同じ価値観のひとの意見が中心になり、反対の意見は排除される傾向にあります。自分が見たいものにまなざしが固定化されていくのです。

それだけではありません。たとえ自分の意思で選択したり、あるいは偶然出会ったように見えていても、じつは外から無意識のうちにまなざしを操作されている可能性もあります。たとえばネットショップで欲しかった商品を偶然目にしたようなときでも、それが本当に偶然かどうかはわかりません。マーケティング技術は、ユーザーに購入させるために先回りして情報を提示することで、ぼくたちのまなざしを誘導しています。それは商品に限りません。ブームになった歌、最近バズった人、期待したり興奮したりする出来事、悲しみや怒りを覚える事故や事件も、外から誘導された結果ではないと言い切れるでしょうか。そう考えると、いまの情報社会はぼくたちのまなざしを外からデザインしようとする意図に溢れているように思えます。

「欲望のまなざし」

ひとは外からのまなざしだけでなく、自分自身の内からのまなざしにも囚われます。怒りに囚われ、不安に囚われ、悲しみ、怠け、疑い、理想、外見、見栄などさまざまなものに囚われ、自分自身のまなざしを固定化させます。その理由はぼくたちが「自己」を中心にしたまなざしを外すことができないからです。

ぼくたちの無意識の心の奥底には、生まれたころから自己を中心とした欲望がセットされています。そのもっとも強いものが〝生きていたい〟という生存欲です。そこに何かが欲しい、何かになりたいという「欲望のまなざし」が育っていきます。しかしひとは誰でも自らの欲望をすべて貫き通すことはできませんし、そうすると必ず誰かと争うことになるからです。

だから、ある程度の年齢になれば、ぼくたちは誰かにまなざしを向けられていることを意識するようになり、自分の欲望に制限を加えます。そんな「外からのまなざし」には大きく三つの種類（**図1**）があります。ひとつは「法律」です。どんなに欲しいものがあってもひとのものを盗めば罰せられます。それを知っているのでぼくたちは欲望を制限します。しかし、法律的に問題がなければ、ぼくたちは欲望を通そうとするわけではありません。ひとに迷惑をかけたり、白い目で見られることをしないのは、ぼくたちが「社会の規範」という別のまなざしを意識するからです。では、誰も見ていないし誰にも迷惑をかけ

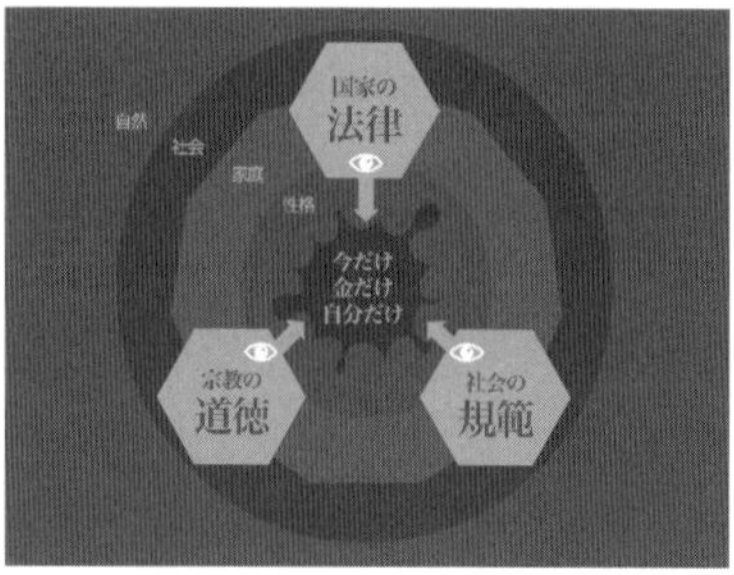

▼図1　欲望のまなざし

なければ何でもするのでしょうか。誰も見ていなくても、していいこととしてはいけないことの基準を誰もが心のなかにもっています。それは「道徳や倫理」と呼ばれるまた別のまなざしです。

こうした三つの外からのまなざしがバランスよく機能していれば、ぼくたちは欲望に歯止めをきかせ、社会はうまく回っていくはずです。ところが、いまの時代はお金さえあればなんでもできるようになり、ぼくらの欲望は「経済の損得」という形に変わりました。お金が何よりも優先されるようになり、欲望に歯止めがきかなくなっているのです。

いまの世界ではたった一〇パーセントのお金持ちが、世界の富の八〇パーセントをもっているといわれています。地球上には八〇億人の人びとが住んでいますが、そのうちの一〇パーセントが飢餓（きが）で苦しんでいます。地球には世界中のひとが食べていくのに十分な量の穀物があるにもかかわらず、それが行き渡りません。貧富の格差は深刻で、とにかく競争して上に行かなければいけないという空気に満ちています。そんな社会に嫌気が差して自殺するひともいるのです。二〇一二年のデータでは世界で四十秒に一人が自殺していました。

利益のためなら簡単に自然を破壊する大企業もあります。この五十年で六八パーセントの生物多様性が失われ、百万種の動植物が絶滅の危機に瀕しています。それを救うためにはお金が必要ですが世界経済は三京円の借金をしているのに一向に問題は解決しない。にもかかわらず世界の軍事費は未だに上がり続けて二二〇兆円にまで達しました。その結果、何億もの子どもたちが紛争地帯に暮らすことになっているのです。欲望のまなざしが暴走した結果、世界は壊れようとしています。

調和のまなざし

しかし本当は、ぼくらの心のなかには欲望のまなざしだけでなく、他の命と仲良くしたり慈しむ気持ち、弱い命や困っている命を思いやる気持ちがあるはずです。ぼくらはひとりでは生きていくことはできず、総合的な生命のネットワークのなかで生かされています。「いまだけ・ここだけ・自分だけ」と目の前の損得にしがみつき、モノの見方を狭い範囲に固定しがちな時代だからこそ、まなざしのスケールを広げて、社会や自然と調和しながら生きていく方法を真剣に考えねばならないのです（**図2**）。

ぼくたちがいま見ている風景からまなざしをぐっと引いてみると「地球」が見えます。もっとも大きな地球環境は身の回りの環境とつながっています。地球には「太陽」の光や「月」やその他の惑星の引力など「エネルギー」がやってきます。地球内部にも「マントル」のエネルギーがあって、それが地球を回しており、時どき地面を持ち上げて「地形」をつくります。地球は太陽に対して二三・四度傾いているといわれ、その傾きによって一番太陽が当たる赤道と、

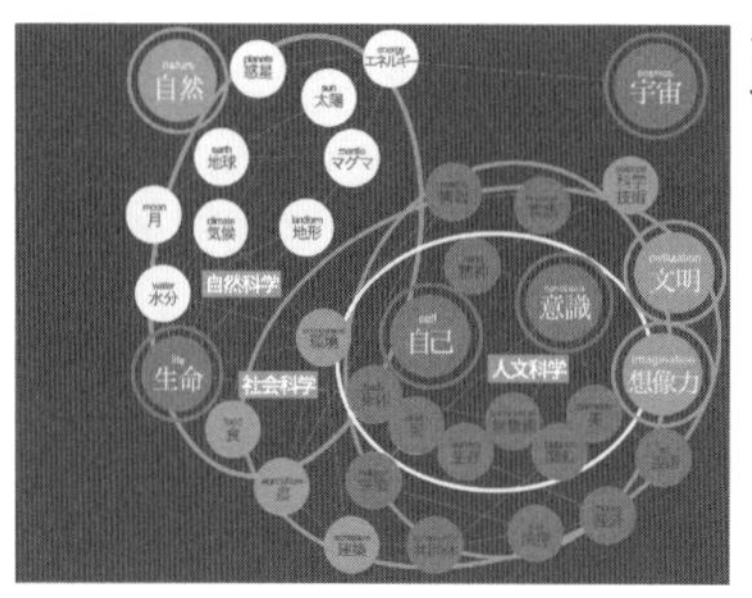

▼図2　生命表象学のダイアグラム

光が少ない北極や南極の間でさまざまな「気候」をつくります。この気候と地形が合わさりその土地の「水分」が決まり、そうした水の満ち引きに月が影響するのです。こういうすべての自然がネットワークしてぼくらも含めた「生命」が成り立っています。どれひとつ欠けてもぼくたちは生きていけません。すべての生命はこうした自然のリズムに無意識に「身体」を同期させて動かしています。しかし進化の過程で、こうした生命のネットワークから切り離された人間は自然環境のなかに〝自分〟がいるという「意識」をもってしまいました。意識が生まれたことで、それまで環境も一体だったぼくたちは身体をもった「自己」が存在の中心になり、身体がなくなればどうなるのかと想像したのです。それが「死」の概念を生みます。ぼくらの本能には「生存」の欲望がセットされているので、身体がなくなっても何かが残って欲しいと願い、死後を説明するために「宗教」を生み出します。

一方で、ぼくらの本能には、他の生命と仲良くしたい「調和」の気持ちも組み込まれています。この調和の本能が「美」の感覚を生み、それが意識化されることで「芸術」が生まれます。

そして身体を維持するためには「食」が必要で、人間は効率良く食料を得る方法として「農業」を生みます。農業をするためには自然を観察し、いつタネを蒔くか、いつ収穫するかを「情報」に変え、それを他のひとにも伝えるための「言葉」を生みます。それはいまの「科学技術」にまで発達することになります。

また農業は定住を促すので「建物」が必要になり、それは村からやがて都市へと拡大します。そこにひとが集まり「共同体」が生まれ、人びとが争わないための「法律」や、自然から収穫したものを分配するための「経済」を生み出します。でも、いまはそうして生み出された社会システムが暴走し、ぼくたちの生存が脅かされています。

これがぼくが生命表象学と呼ぶ学問で考えている生命のネットワークのマッピングですが、いまのぼくらの「文明」には自然は含まれておらず、その中心にある「法律」や「経済」はすべて頭のなかの「想像」の産物です。ぼくたちは生命のネットワークの一部を都合よく利用しているだけで、他の生命を自分が生存するための単なる手段としてしか考えていないのではないでしょうか。だから、もしいまの文明が壊れようとしているならば、ぼくらの想像力やまなざしが間違っている可能性があります。いくらテクノロジーやシステムを変えてもまなざしの方向性を変えない限り、世界や現実を変えることはできないのです。

「世界を変えるまなざしのデザイン」

これまでぼくたちは「頭」だけで世界を見てきました。その世界は競争すること、拡大すること、成長すること、損得を考えることばかりにまなざしを向けてきました。

しかしこれから育まなくてはいけないのは「心」で見る世界です（**図3**）。その世界は競争ではなく調和を、自己ではなく自他の共生、成長ではなく成熟、拡大よりも充実、理性より感性、拡大よりも充実、交換ではなく贈与する経済、損得でなく慈悲を傾ける文化を育まなければいけません。

学校での勉強は知識を身に付ける方向に偏りがちですが、頭を鍛えることは知識を溜め込むことではありません。頭を鍛えるとはいろいろな物事や仕組みに「気づく」ようになるということです。ぼぉっとして気づかないと誰かにだまされたり問題を抱えることが多くなりますが、気づきが多くなると、問題を解決する知恵が生まれます。しかし同時に他の生命を慈しむ心を鍛えないと、今度は誰かのまなざしをコントロールしてだます側の人間に回るでしょう。だからみなさんは頭だけ、心だけではなく、どちらのまなざしも鍛えていかなければいけません（**図4**）。

大人たちがさも正しそうに何かを押し付けてきても、その罠に気づき自分は聡明であろうとすること。いくら社会が悪意に満ちていたとしても、自分は他の生命に慈悲を傾けること。そして世界が絶望的に見えても、決してそうした態度を諦めないこと。そうできるようにみなさんがこれから自らのまなざしをデザインしていくことを心から願っています。

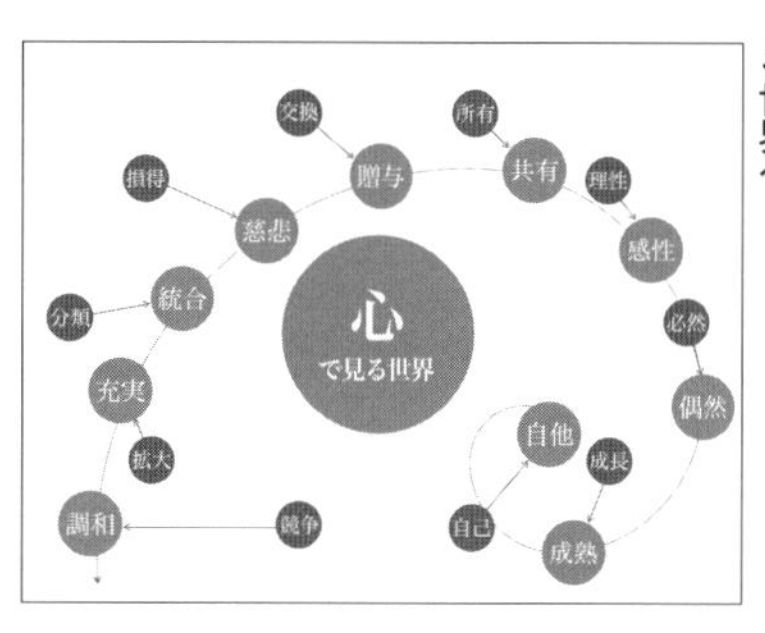

▼図3　頭で見る世界から心で見る世界へ

▼図4　頭と心のバランス

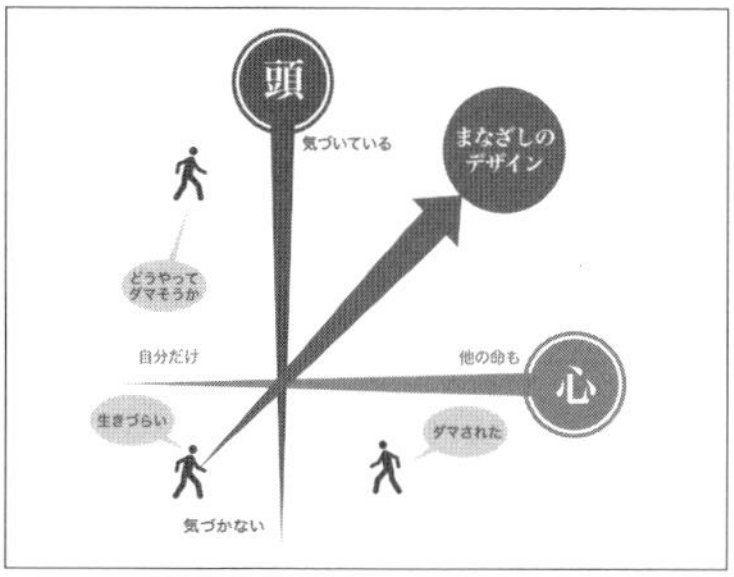

――ひとのまなざしをデザインすることはある意味では危ういことでもあると思うのですが、先生はどのように考えていますか?

ひとのまなざしはひとからコントロールされてはいけないし、誰かのまなざしを自分に都合よくデザインしてはいけないと思います。ぼくの話は、すでにいろんなものにデザインされようとしているみなさんの思い込みをはずしていく逆デザインをしているつもりです。そのメッセージの中心は「自分のまなざしは自分でデザインしていかねばならない」ということです。外からまなざしを誘導されることが多い時代だと思いますが、つねに物事をニュートラルに見るように心がけて、自分で確かめて判断する力を身に付けて欲しいと思います。

わたしの思い出の授業、思い出の先生

Q1：思い出の授業を教えてください
Q2：その授業が記憶に残っている理由はなんですか？
Q3：その授業は人生を変えましたか？

たくさんありますが、大人になってから聞いた授業や影響を受けた先生を二人だけ挙げてみます。一人は哲学者の鷲田清一先生です。ぼくは教師として一緒に大学の哲学の授業を担当しましたが、現代アートを題材に毎回さまざまな角度から人間の想像力を読み解き、コミュニケーションや知性は言葉だけで表現されるわけではないことを学生以上に学びました。

もう一人は、スリランカの仏教の僧侶であるスマナサーラ先生です。教わったのは学校ではなくお寺でしたが、生命が生きるとはどういう仕組みになっていて、この宇宙はどのような法則で動いていて、ぼくたちはどう生きればいいのかを教えていただきました。ブッダの智慧は宗教のように信仰するものではなく、科学として理解されるものだと学びました。

二人とも大切な恩師であり、間違いなくぼくの人生を変えたといえますが、その場で簡単に理解できることだけではありませんでした。本当に大事な教えは時間をかけて身体に染み渡っていくものだと思います。

わたしの仕事をもっと知るための3冊

ハナムラチカヒロ『まなざしの革命――世界の見方は変えられる』（河出書房新社）
ロビン・ウォール・キマラー『植物と叡智の守り人』（築地書館）
バックミンスター・フラー『宇宙船地球号操作マニュアル』（ちくま学芸文庫）

自分という牢獄から脱獄するために

住吉雅美

すみよし・まさみ＝法哲学者。一九六一年生まれ。山形大学人文学部助教授を経て、現在、青山学院大学法学部教授。著書に『哄笑するエゴイスト――マックス・シュティルナーの近代合理主義批判』『あぶない法哲学――常識に盾突く思考のレッスン』、共著に『法の臨界〔II〕秩序像の転換』『ブリッジブック法哲学』『問いかける法哲学』など。

みなさんはどうして日々学校に通っているのでしょうか。その意味はいろいろあります。たとえば、自分の動物的な本能を制御して最低限の社会的生活を送れるようにするため、社会の仕組みを疑似体験するため、自分より優れた他者がいることを知るため。簡単にいえば、学校教育とは、みなさんに常識を植えつけ、社会で通用する人間に育てるものだということです。たしかに、常識を身につければ、この社会で、ある程度は暮らしやすくなるでしょう。

一方で、かの天才物理学者アルベルト・アインシュタインは、「常識は偏見のコレクションである」といっています。この言葉が示しているのは、十八歳くらいまでに身につけた「常識」は大体「偏見」である、ということです。ここでいう常識には、習慣や規則、法律なども含まれますが、なかには、それを守っていると得するどころか害になるものもあります。

ミシェル・フーコーという哲学者は、私たちがこうした常識を内面化し、適合しようとすることの危険性を指摘しました。常識を疑うことをしないと、自分で自分を不自由にし、「牢獄」（フーコーは「監獄」と呼びました）に閉じ込めてしまうことになってしまうのです。

「哲学的思考とはなにか」

私が専門としている「法哲学」は、法律という常識に疑問を投げかける学問です。「法学」は知っていても「法哲学」には馴染みがない、というひとは多いかもしれません。

字義どおり、「法哲学」は「哲学」です。哲学は、英語でフィロソフィー（Philosophy）ですが、もとはギリシャ語でフィロソフィア（philosophia）。ソフィア（sophia）とは「知」のこと。この「知」は知識ではなく叡智（えいち）。叡智とは、「すべてがそこから生まれ、そしてそこへと帰っていく〈そこ〉とは何か？」を問うこと、簡単にいうと「存在するとはどういうことか」という問いを提起することです。

それに対して、フィロ（philo）とは熱愛するという動詞 philein が変化したもの。つまり、フィロソフィア＝哲学とは、「存在するとはどういうことか」という問いを、取り憑かれたように一生考え続けるという意味なのです。

▼アルベルト・アインシュタイン
理論物理学者。一八七九年生まれ。特殊相対性理論、質量とエネルギーの等価性、一般相対性理論などの数々の論文を発表。光量子仮説に基づく光電効果の理論的解明によって、一九二一年にノーベル物理学賞を受賞した。第二次世界大戦時、米政府の原子爆弾開発を求める書簡に署名したが、戦後はその後悔から核戦争の危険性を訴えた。一九五五年没。

誰でも、「なぜ自分は生まれてきたのだろう」「なぜ自分はここにいるのだろう」「死んだらどこに行くのだろう」と考えたことはあると思います。普通は、そんなことを考えるのはやめようとやり過ごしてしまいますが、もう頭から離れなくなって一生考え続けようと思ったのなら、それは哲学の起こりです。得体の知れないものを考え抜いてみようという気持ちが哲学なのです。

このような「哲学的思考」こそ、自由な思考である、と私は考えます。自由な思考は、みなさんがこれまで身につけてきた常識や科学的知識、経験によって得られた知を徹底的に疑うことから始まります。それは誰かが出してくれた答えで満足しないということです。他人からの借り物の目によってではなく、自分の目、自分の感性、自分の頭脳、それによって物事を見極めること。何者かに命じられるのではなく、自分自身の力で決定し実現すること。それが真の意味で自由になるということです。みなさんを「自分という牢獄」から解き放ってくれる思考法です。これは簡単にできると思われますが、意外に難しい。

「哲学的思考の具体例」

具体的に、哲学的思考とはどのようなものか、その一端に触れてみましょう。たとえば、「死んだことがないのに、どうして自分が生きているとわかるのか」という問いを、どのように考えますか。

▼ヒラリー・パトナム
哲学者。一九二六年生まれ。マサチューセッツ工科大学哲学教授を経て、ハーバード大学哲学教授に就任、その後、同大学名誉教授。論理実証主義の批判的検討をはじめ、数理論理学、科学哲学、言語哲学、心身問題など各分野で活躍。二〇一六年没。

▼水槽の脳
ヒラリー・パトナムが一九八二年に提唱した懐疑的仮説。私たちの脳は栄養液で満たされた水槽のなかにあり、私たちが見ている世界は、この脳につながれたコンピュータが見せている夢である、という仮説。

ひとつの考え方は、私たちが生きている現実のほうが夢なのではないか、というもの。私たちは生きているのが当たり前で、死んだら何もなくなると考えがちですが、生きている現実が夢であり、目覚めこそが死である、と従来の見方を反転してみることもできる。

あるいは、その夢すらも、誰かによって操作されているのだという考え方もあります。われわれは肉体をもって生きていることを前提にしていますが、あるのは水槽のなかに浮かぶ脳だけかもしれない。その脳の神経系がコンピュータにつながれていて、コンピュータの作り出す精妙なバーチャルリアリティの世界を見せられているだけかもしれない。これはヒラリー・パトナム▼という哲学者が考えた「水槽の脳▼」という説です。これは経験主義▼という立場に立ったものの見方で、体に対する不信感から出発しています。

現在、この体に対する不信は新たな局面を迎えています。イギリスのエンジニアであり未来学者のイアン・ピアソン▼というひとは、「人類は二〇五〇年までに死を超越する」といいます。人間は体が滅びたとしても死なない、なぜなら自己というのは体の継続ではなく意識の継続であるから。もしそうなら、あるひとの記憶や意識をすべてコンピュータにダウンロードすれば、そのひとは永遠に人格として生きていけることになるのではないか、というのが彼の考えです。

これはあながち空想話ともいえません。最近ではＡＩを使って、亡くなったひとに喋らせたり歌わせたりする技術が話題になりましたね。技術が発展す

▼経験主義
知識は客観的な事実の実証によって、経験的に得られるとする認識論の立場。合理主義に対立する。十七～十八世紀イギリスでは、フランシス・ベーコン、ジョン・ロック、デイヴィッド・ヒュームなどがその代表。

▼イアン・ピアソン
イギリスのエンジニア、未来学者。テクノロジーによるビジネスや社会の変化を予測している。クイーンズ大学ベルファストで応用数理物理学を学ぶ。英国コンピュータ協会、アメリカ芸術科学アカデミーのチエーターフェローなどを務め、二〇一七年ウェストミンスター大学で理学博士号をおさめる。著書に *Space Anchor, Total Sustainability, You Tomorrow*（すべて未邦訳）などがある。未来研究所「Futurizon」を運営。

れば、もっとリアルにそのひとを再現することができるかもしれない。ますます人間は体が死んだら終わりだともいえなくなるはずです。

「法律のはじまり」

哲学が存在とは何かをテーマにするように、法哲学はまずもって「法が存在するということはどういうことか」を考えます。単純に考えれば、『六法』に印字されているならその法は存在していると思われますが、そうとはいえません。

たとえば、「決闘罪に関する件」という法律は明治時代から存在します。これは素手であろうと武器を使おうと、双方が合意して戦ったら、あるいは果たし合いを煽ったら罪になるという法律です。この法律はまだ残っていますが、こうした誰にも知られていない「死んでいる法律」がじつはたくさんあるのです。専門用語ではこれを、「実効性がない法律」と呼びます。こうした法律はそもそも効力がないのだから不要ではないか、などと問題提起するのも法哲学の役割です。

さらに法哲学が批判するのは、これだけではありません。多くのひとが何も考えずに従っている「実定法」を批判することもあります。

法律が生まれるおおもとには、内乱や革命などの暴力があります。そうした暴力が起きないよう、法律によって集団内の秩序をつくりだし、平和状態を維持

▼決闘罪に関する件
決闘行為を処罰するための法律。明治二十二年に制定された。実際に決闘に発展しなくても、申し込んだり応じたりしても処罰の対象となる。

▼ソドミー法
ソドミーは、主に男性間の性行為、とくに肛門性交をさすほか、未成年や動物との性行為なども当てはまる。こうした行為を禁ずるのがソドミー法であり、キリスト教の影響が強い国で使用されていた。現在もアフリカなどでは使用されている国もあり、性的マイノリティの人権運動においてその撤廃が目指されている。

持する。しかし、支配者は必要以上に法を利用して、政治の道具にしようとするので、実定法でさえも批判的に検証しなければならないのです。

たとえば、一九六〇年代ごろまでのイギリスでは、ソドミー法という同性愛を厳罰で禁止する法律がありました。当たり前ですが、ひとの生き方、セクシュアリティを制限する法律はあってはなりません。ほかにも、アメリカには禁酒法という法律がありましたが、趣味嗜好を法律的に禁止したところで、やめさせることは困難です。

こうした「余計なもの」を付け加える法律は一般的にいって、よくない法律であることが多いのです。

みなさんの身近にある校則も、この「余計なもの」の典型である場合があります。たとえば、もともと生まれつき茶色に近い髪の毛の子に黒染めを要求する、ショートカット以外禁止、ラブレターを渡すときは担任の先生に断りを入れなければならない、男女で話すときは半径五メートル以内に近づいてはいけない、方言禁止、トイレットペーパーの使用量は一回につき三〇センチ以内など、本当に意味がわからない校則がたくさんあるようです。

では、ルールとはどういうものであるべきか。イギリスのジョン・スチュアート・ミルという哲学者は『自由論』のなかで「個人にたいしてか、あるいは公衆に対して、明確な損害またはその危険が存在する場合に至ってはじめて、問題は自由の領域から道徳や法律の領域に移される」という見解を出しています。

▼禁酒法
アルコール分を含む飲料の醸造、販売、運搬を禁止した法律。アメリカ連邦議会で、一九一七年に禁酒条項と呼ばれる憲法修正十八条が可決され、一九年から施行された。ボルステッド法とも呼ばれる。アル・カポネらギャングが酒類の密造・密売を行うなどの弊害があり、三三年に撤廃された。

▼ジョン・スチュアート・ミル
イギリスの哲学者、思想家。一八〇六年生まれ。哲学、経済学、政治学において功績を残した。哲学においては、経験主義の立場をとり、またベンサムの功利主義を引き継ぎ「質的功利主義」を提唱。政治学においては、少数の意見を尊重する自由主義の態度をとった。

つまり、「他者に危害を加えない限りは何をしても法的に罰せられない」といっているんですね。

「他者に危害を加えなければ何をしてもいいのか」

ミルはさらに、他者に危害を加えないならば、自分だけが損をするような、愚かなことをしてもいい、といっています。これは「愚行権」といって、究極の自由主義的な考え方です。

混雑している土曜の夜の渋谷・センター街を、自転車でものすごいスピードで走ることは禁止されますよね。でも、誰もいない早朝の河原だったら許される。転んでも、あるいは瀕死の重傷を負っても、損をするのは自分だけですから。

ただ、愚行権も線引きがなかなか難しい。人間の行為は二種類あるといわれていて、自分だけに関係する行為の領域を「自己関係的行為」、他者にも関係する行為の領域を「他者関係的行為」といいます。単純にいえば、前者の自己関係的行為にあたる場合、愚行権は正当化されるのですが、人間の行為は他者に影響を与えることがほとんどです。被害とまではいかなくても、ゴミ屋敷の周りに生ゴミを放置して匂いを充満させるとか、野鳩に無責任に餌やりして地域を糞まみれにするとか、深刻な不快を他者に与える行為もあります。最近は、こうした危害原理を補完するために「不快原理」という概念も生まれているくらいです。

さらに考えると、「自己関係的行為」であれば、本当に何をしてもいいのかという疑問も生まれてきます。

これはドイツであったことですが、あるコンピュータ技術者がネットに「私に殺され、食べられたいと願う者を募集する」と広告を出しました。しかも、金銭的報酬は一切支払わないというのですが、応募者が現れた。話し合いのち応募者が承諾し、本当に殺されて食べられてしまった。当然、裁判になったのですが、人を食べることを罰する法律はドイツにもありませんでした（日本も同様です）。犠牲者も望んで殺されているので、最初は過失致死罪という軽い判決がくだされました。しかしその後、控訴審で終身刑となったのです。

この事件についても、誰も加害していないのだから、自分の体と命は自分の好きなように使って構わない、と正当化できるのかもしれません。ですが、本当に正しいことなのか、一考の余地があると思います。

「法の常識に背く功利主義」

いま、法哲学のなかで非常に力をもっている立場に「功利主義」があります。これは最大多数の最大幸福を実現することが正しいという考え方です。

この功利主義の始祖であるジェレミ・ベンサムは「功利性の原理とは、その

▼功利主義
十九世紀のイギリスで興隆した思想。行為の目的や義務、善悪の基準などを「最大多数の最大幸福」に基づいて判断する。ベンサムやミルなどの思想が代表的で、産業革命後のブルジョワジーの理念として共有された。その後、ヘンリー・シジウィックの合理主義的功利主義、スペンサーの進化論的功利主義などへと受け継がれた。

▼ジェレミ・ベンサム
哲学者、経済学者、法学者。一七四八年生まれ。功利主義やパノプティコン（監獄や監視のシステム）の提唱者として知られる。本人の意向で、ユニバーシティ・カレッジ・ロンドンには、遺体の人体標本がおさめられている。一八三二年没。

利益が問題になっている人々の幸福を、増大させるように見えるか、それとも減少させるように見えるかの傾向によって（…）すべての行為を是認し、または否認する原理を意味する」（『道徳および立法の諸原理序説』）といっています。これは要約すると、できるだけ多くのひとが幸せになり、その幸せを総計したらできるだけ大きな量になる、そういう政策や立法をするべきだ、という意味です。この功利主義は、しばしば法律学の常識を否定することがあります。

よりわかりやすい例をあげましょう。アニメの限定グッズが百個、店舗に並べられています。それを一人の客が全部買い占めてしまったとする。後から来た客は抗議しますが、買い占めた客は「自分は前日から並んでいたし、自分の金で買ったのに、なにが悪いんだ」と開き直る。普通の法律学で考えると買い占めた客は罪に問われませんが、功利主義的に考えると悪になる。

たとえば百個のグッズが総量百の幸せを生み出すとします。先の例だと、一人は百個買ったので、百の幸せが得られたことになります。

しかし功利主義は、こういう形で幸せの量を最大化してはいけないと主張します。総量が同じ百だとしても、百人が一ずつ幸せが手に入れることによって、総量百にすべきだというのです。少数のひとの幸せが大きくなっても、それ以外のひとが不幸になってはいけない。一人の幸せの量は少なくても、できるだけたくさんのひとが幸せを味わえて、その結果、総量が大きくなればいいと考えます。

▼**『ウォッチメン』**
一九八六から八七年に出版されたDCコミックスが原作の、アメリカのヒーロー映画。ザック・スナイダーによる監督で二〇〇九年に公開された。舞台は新冷戦下のアメリカ。アメリカとソ連のあいだで核戦争勃発の危機が高まっていた。ギャングを取り締まるために組織された、ヒーローのコスプレをした覆面集団「ウォッチメン」たちが再結集し、元メンバーを殺した犯人をつきとめ、核戦争の危機を回避しようとする。

こうして見ると、功利主義はある意味で博愛主義的です。ですが、哲学というのは面白いもので、明の部分もあれば暗の部分も出てくるものです。

たとえば、「将来の七十億人を生かすために、現在の一億人を死なせてよいか」という問題をどう考えたらいいでしょうか。
▼『ウォッチメン』という映画では、核戦争が起こる危機が高まった世界が描かれます。核戦争が起こると地球上の七十億人が死んでしまう。それを阻止すべく、世界各地で一億人を殺すテロリズムを展開し、戦争をはじめようとする両大国の首脳の関心をそらせようとする、というあらすじです。
こんな荒唐無稽(こうとうむけい)な話、映画のなかだけだと思われるかもしれませんが、これと似た話が現実にも起こっています。それが二〇〇一年にアメリカで起こった「▼九・一一アメリカ同時多発テロ」です。ニューヨークの世界貿易センタービルなどにハイジャックされた旅客機が突っ込み、多くのひとが亡くなりました。当時の副大統領▼ディック・チェイニーは、旅客機の数百人の乗客と高層ビルにいる数千人のどちらを救うかという決断に迫られました。結果、数千人を救うために、旅客機を撃墜するという判断をしたのです。実際は、撃墜するまえに旅客機は墜落したので未遂に終わったのですが。

つまり、功利主義的に考えると、多数の命を守るために、少数を犠牲にする

▼九・一一アメリカ同時多発テロ
二〇〇一年九月十一日、アメリカの旅客機がハイジャックされ、二機がニューヨークの世界貿易センタービルに、一機はワシントンの国防総省に突入し約三千人が犠牲となったテロ事件。事件を実行したのはオサマ・ビン・ラディンを首謀者とする国際武装テロ組織アルカイダであるとし、アメリカのブッシュ政権は、彼らと協力関係にあるとされたイラクのサダム・フセイン政権の打倒に乗り出した。これによって、二〇〇三年にイラク戦争が勃発した。

▼ディック・チェイニー
第四十六代アメリカ副大統領、共和党議員。リチャード・ニクソン政権では大統領次席法律顧問を務め、一九八九年には第十七代アメリカ合衆国国防長官に就任。二〇〇一年に副大統領となる。

ということが起こりやすくなります。さらには、誰が不利益を被るかを決める際に、偏見や蔑視が働くこともあります。功利主義は一歩間違えれば、博愛どころか冷酷な思想につながりかねないのです。

愚行権も功利主義の問題も簡単に答えが出せることではありません。しかし私たちは幾度となく、このような正解のない問いに向き合うことになります。「頭のよさ」とよくいいますが、これは暗記力があることや、試験で高い点数を取れることではありません。ひとつの正解がない状況において、問題を解決するために的確な判断をくだす能力です。

真の意味で自由に生きるために、さまざまな場面で法哲学の考え方を応用してほしいと思います。

Q&A

――法律的な罪に至らない過ちについてはどう考えればいいでしょうか？　たとえばキャンセルカルチャー▼が広まるなかで、被害者中心主義が行き過ぎていて、過去の過ちを真摯に反省しているひとが再起できる仕組みがないように感じます。

法律で罰することのできる犯罪の場合は、裁判で命ぜられた罰が終われば、ひとまずは罪を償ったことになりますよね。

ところが、法を犯しているわけではない場合は複雑です。被害者と加害者の

▼キャンセルカルチャー
著名人や企業などの発言や行動を主にSNS上で糾弾し、番組出演をやめさせたり、不買運動を促進させたりすること。アメリカで二〇一〇年代から出てきた言葉で、もともとは人種や性別による差別を受けた人に共感し、抗議活動と対話による解決をめざす「コールアウトカルチャー」がはじまりといわれている。

あいだで示談が成立したとしても、被害者は加害者が罰を受けずに社会で活躍していることを恨み続けてしまう。被害者以外の人たちも同調して、加害者を非難し続けます。

もともと裁判という制度が生まれたのも、こうした復讐の連鎖が起こらないようにするためでした。ドイツの哲学者カントも、「大なり小なり罪を背負っているあらゆる人間には寛恕の心が必要だ」と言っています。罪の追及はどこかで断ち切らなければならない、と私は思います。加害者がそうした問題を起こしてしまった背景を考え、社会全体で思いとどまらせる、考えを改めさせることが必要なのです。そうした合意が日本にはまだないように感じています。

わたしの思い出の授業、思い出の先生

Q1：思い出の授業を教えてください

高校の時の倫理社会（現在は、倫理〔公民のなかの一科目〕という名称に変更）の先生の授業です。

Q2：その授業が記憶に残っている理由はなんですか？

とにかく哲学書を自力で読め、という授業だったからです。デカルトの『方法序説』、カント『実践理性批判』、ミル『ミル自伝』、マルクス・エンゲルス『共産党宣言』、ウェーバー『プロテスタンティズムの倫理と資本主義の精神』、などを、邦訳で理解できなくてもいいからとにかく自力で読め、という課題が夏休みに出ました。その通りにやってみたら、自分なりに哲学書を読むことの愉しさを知りました。

Q3：その授業は人生を変えましたか？

そのおかげでいまの私があるのだと思います。

わたしの仕事をもっと知るための3冊

住吉雅美『あぶない法哲学——常識に盾突く思考のレッスン』（講談社現代新書）

住吉雅美『哄笑するエゴイスト——マックス・シュティルナーの近代合理主義批判』（風行社）

フリードリッヒ・ヴィルヘルム・ニーチェ『善悪の彼岸』（岩波文庫など）

第6章

自然科学で人間をみつめる

私たち vs 彼らの生物人類学

内田亮子

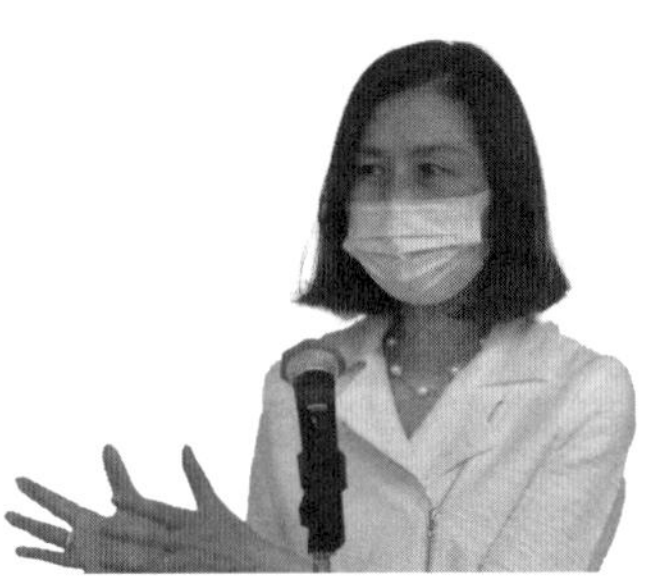

うちだ・あきこ＝生物人類学者。一九六〇年、福井県生まれ。東京大学理学部卒業、同大大学院理学系研究科修士課程修了、ハーバード大学大学院Ph.D.課程修了。京都大学霊長類研究所助手、千葉大学文学部行動科学科助教授を経て、早稲田大学国際教養学部教授。主な著書に『進化と暴走――ダーウィン『種の起源』を読み直す』など。

私の専門分野は、生物人類学という生物学の一分野です。社会科学的な文化人類学や社会人類学と違って、生物人類学では「生物」という枠組みのなかで人間を考えてゆきます。具体的には、人間の心と体のさまざまな特徴やそのありようについて、科学的な説明を試みます。

その際に重要なことは二つあります。一つは、比較をすること。人間とその他の動物を比較し、人間集団間の比較をします。さらには人間集団内の比較もします。

そしてもう一つは、進化的な視点をもつことです。一般的な社会科学では数千年の時間軸が一般的だと思いますが、生物人類学は、生命誕生以来の進化の歴史をたどり、現在の私たちに至るまでという、長い長い時間軸で考える学問です。

「退化も進化である」

生物の進化においては、自然科学者のチャールズ・ダーウィン▼が一八五九年に著書『種の起源』を出版し、現代生物学の進化の概念の基礎を築きました。しかし、この進化の理解がなかなか普及せず、いまも誤解しているひとは多いです。

みなさんは、「進化」と聞いて、どんな意味だと思いますか。なんとなく、良くなることや複雑になることだと思っていませんか。これは間違いです。

みなさんが進化の定義を誤解してしまっているのは、コマーシャルなどで進化が、「より良くなる」というイメージで使われていることが一因です。こういうコマーシャルを見るたび私はテレビの画面に向かって心のなかで、「違う！」と怒鳴っています。みなさんには、一般的な進化の概念と生物学的な進化の概念の両方の違いをちゃんと理解してもらえたらと思います。

生物学的な進化とは「いろいろな特徴の頻度が変化すること」です。たとえば、ある種類のウサギがいて、世代を経るごとに、茶色いウサギよりも白色のウサギが生まれる頻度が増えたとします。この現象が進化です。ここで、必ずしも白いウサギのほうが優れているとか、環境に適応しているとは限らないんです。もちろん、環境への適応で白いウサギが増える場合もありますが、あくまで進化は、遺伝的にランダムな変化が起こって、それが蓄積されて頻度の変

▼チャールズ・ダーウィン→二八〇頁註も参照
イギリスの著名な自然科学者。一八〇九年生まれ。すべての生物種が共通の祖先から長い時間をかけて、「自然選択」と呼ばれるプロセスを通して進化したという進化論を確立した。一八八二年没。

化が起こるのです。

繰り返しますが、進化は変化です。だから、退化も進化の仲間で、環境に適応した退化も進化もあります。たとえば、土のなかに生息していて目の機能が衰えたネズミがいます。このネズミの種類には、目が見えなくなるという変化、つまり進化が起こったといえる。機能がなくなるというのも、進化に含まれるわけです。

進化の結果、いろんな不都合や不具合が起こることも多いです。たとえば人間の目には、視細胞が存在せず絶対に見えない盲点があって、それを脳が補正して見えるようになっています。このように、上手くできているように思えるものであっても、進化の結果、結構な妥協や不都合を抱えて存在しているものはたくさんあるのです。

要するに、進化というのを「環境への適応である」と、決めつけてしまうのは間違いです。進化は、強くなることでも優秀になることでも大きくなることでも速くなることでも複雑になることでもない。そういう変化もあるけれども、それは進化とはイコールではないのです。もっといえば、進化して適応するのが良いことだとか正しいことだとか、そうした価値観ともまったく関係ありません。

それから、一つの個体は一生のあいだに進化しません。なぜなら、進化は集団のなかに存在する特徴の頻度の変化だからです。野球選手は進化しません。

食品用ラップとか車も進化しません。生物の集団を見ないと進化は語れないのです。

どうですか。みなさんは生物の授業で進化について習ったかもしれないですが、ちゃんとダーウィンの提唱する進化を理解できていましたか？　今日はどうしてもこの部分を改めて認識していただきたいのです。なぜなら、進化を誤解なく理解することが、人間社会の「私たちvs彼ら問題」と関係があるからで、それをこれから説明します。

進化は縦に並ばない

まず、進化的視点による人間と人間以外の動物の関係性を考えてみます。図の（a）はダーウィンの考えた進化の理解です。人間と他の動物は共通の祖先から生まれて、進化の結果、現在横並びになっているというのがダーウィンの考え方です。

一方で、アリストテレス▼などが考えた進化が図の（b）です。みなさんのなかにもこのイメージをもっているひとが多いかもしれません。原始的なものから何か高等なものに上りつめていくという考え方です。これは生物学的には誤りです。一番上が人間という考え方は明らかに間違った進化の考え方です。人間は地球上でもっとも進化した生き物でも、もっとも優れた生き物でもありま

▼図　進化の図

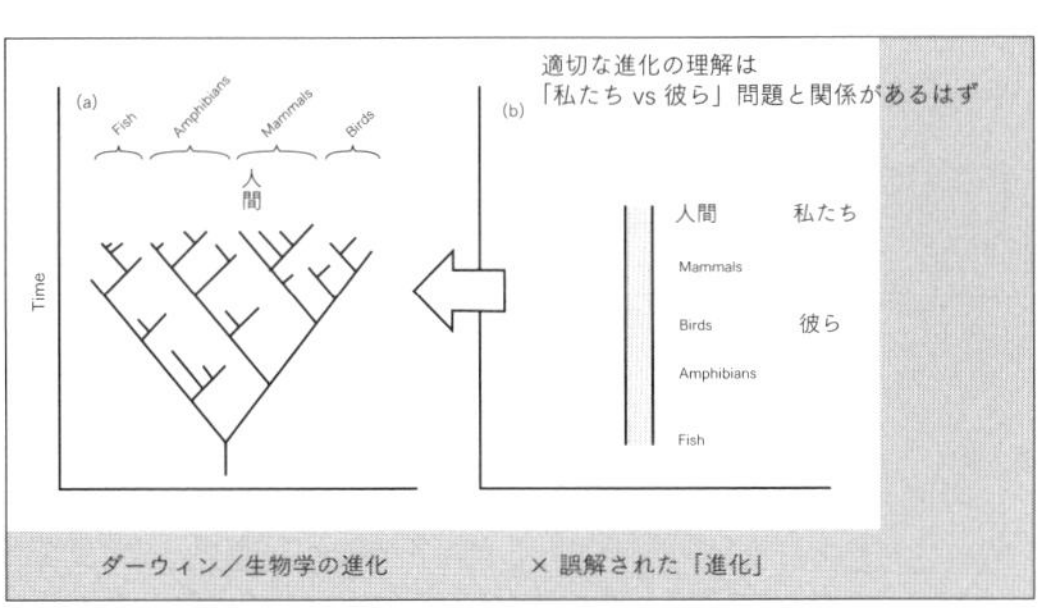

(a)
Fish
Amphibians
Mammals
Birds
人間
Time
ダーウィン／生物学の進化

適切な進化の理解は
「私たち vs 彼ら」問題と関係があるはず
(b)
人間
私たち
Mammals
Birds
彼ら
Amphibians
Fish
× 誤解された「進化」

▼アリストテレス
西洋最大の哲学者の一人。多くの分野で功績を残し、「万学の祖」といわれている。

せん。

このような動物と人間を縦に並べて考える考え方は、人間という生物を考える上で非常に弊害があります。なぜなら、もしこの考え方を人間集団間に当てはめてみたらどうでしょう。自分たちの集団が一番上で他の集団が下だという考え方につながってしまう危険性が容易に考えられます。

ところで、チャールズ・ダーウィンと第十六代米大統領のリンカーン。偶然にもこの二人は同じ誕生日なのです。しかも、二人とも、「人間は全て平等である」と考えていました。十九世紀半ばの当時からすればこの主張をするひとは珍しかったですし、興味深い共通点のある二人ですね。

ただし、彼らがこの考えに至った理由は、大きく違います。ダーウィンは先ほどお伝えした進化的な視点から、縦に並ぶ考え方は間違いだとし、人間は平等だという結論に至りました。しかしリンカーンは、キリスト教の教えから「神のもとの平等」という考え方をしました。リンカーンの主張の問題点は、神のもとの平等だと、どの神ですかという話になってしまうのです。違う神を信じていたら平等ではないのか、という政治色や宗教色を帯びた議論が起こってしまう。でも、ダーウィンは「人間は共通の祖先から出てきて、横並びです以上！」ですから、生物間で優劣がないのと同様に、論理的にも科学的にも人間は平等だといえるわけです。

残念ながらこの二人が提唱した平等の認識は、二百年たった今でも一般社会で浸透していません。人種差別や民族差別、人身売買や奴隷制度などが世界中で行われているのです。こういった差別を当たり前に行うひとや擁護するひとが出てくるのは、いまもなお、多くのひとが人間と他の動物、そして人間の集団を縦に並べているからだと考えられます。

もう一度聞きます。みなさんは、無意識のうちに進化を縦に並べてイメージしていませんでしたか？

区別し、対立するのはなぜ？

では、今日の講義のテーマである「私たちvs彼ら」とはどういうことか。「私たち」とは内集団のこと。いわゆる身内や仲間、同盟を結んでいるひとたちなどのことです。対して「彼ら」というのは外集団のこと。すなわち、「私たち」以外ですね。

もう少し理解するために、まずは人間と動物の違いを見ていこうと思います。動物にも、「私たちvs彼ら」の対立構造はあるのでしょうか。

ご存じのように、異なる動物同士だと、一般的に捕食関係が成立します。食うか食われるかですから、当然のごとく区別や対立はありますね。一方、同じ動物同士ではどうか。この場合、血のつながりが強いかどうか、資源を共有しているかどうかが重要になります。血縁が近く一緒に生活していて、資源を共有する存在が「私たち」。対して「彼ら」は血縁が遠く他の集団に属する存在ということです。

自然界の食べ物、水、住む場所などの資源は有限です。限りある資源を使う以上、全員と平等に資源を分けるという心や行動の進化は簡単には起こりません。そうすると必然的に、「私たち」である身内と、身内じゃない「彼ら」とを区別することで、「私たち」がいい思いをするように、「彼ら」とは共有しないようになる。

じつはこうした行動は、進化の視点で見ると各個体の生存と繁殖を有利にするので、進化の産物であり▼適応的なのです。区別や対立というのは、自然に存在する感情であり行動だといえるのです。

つまりは、進化そのものは優劣をつけるものではないですが、進化の結果、「私たち」と「彼ら」の区別が生じることは紛れもない事実。そして、その区別の認識によって、個人が「私たち」と「彼ら」に対して異なる行動をとる、つまり優先順位をつけて差別する原因にもなっているわけです。

もちろん、異なる生き物同士でも敵対せずに協力している関係のものもたくさんいます。ですが、資源が有限の自然界では、区別と対立は避けられないのです。

▼適応的

生物学において、生物がある環境のもとで生活するのに有利な形質をもっている、あるいは、生存や繁殖のために有利な形質をもっていること。

「殺し合うのは人間だけではない」

違う動物同士は捕食関係が多いという話をしましたが、同じ動物同士の場合にも、対立がエスカレートして互いに殺し合うことはあるのでしょうか？

じつはかなり珍しいです。たとえば、▼トピという動物の習性の一つに「儀式的な闘争」というのがあります。トピは、最初に肉体的にぶつかり合うのですが、どっちが強いかわかったら、「わかりました、もうこの辺で終わりにしましょうね」といった感じで領地のラインを決めて、お辞儀をして静かに去ってゆくのです。つまり、ギリギリのところで、傷つけ合ったり殺し合ったりまでしないのが、動物で進化した、頻度を増やしたということです。特に大きな武器を持っている動物の場合も、「怪我をするから近寄らないでね」という抑止で進化したのであって、使うためではないのです。

では、同じ動物同士で殺し合いをするのは人間だけか？　じつは、その答えはノーです。人間と一番近い動物であるチンパンジーも、同じ動物同士で殺し合いをします。隣の領地を侵略し、隣のグループの個体を殺し、隣のグループのメスや資源を奪うのです。人間とチンパンジー以外の動物でこういう集団行動をとるケースは珍しいです。ですから、侵略や集団間の抗争は、人間とチンパンジーの共通の祖先にあった特徴だと考えられます。人間の「私たちvs彼ら」の区別と対立のなぜ？を問う場合、長い進化の歴史を理解する

▼トピ
哺乳綱偶蹄目（ぐうてい）ウシ科の動物。アフリカ西部から東部にかけて分布し、乾燥した草原に生息する。角は雌雄ともにあり、体は濃い赤栗色（あかぐり）。二十頭ほどの群れで暮らし、ほぼ草だけを食べる。

必要があるのです。

人間の脳がもつクセ

人間と他の動物をもう少し比較してみましょう。まず、人間と他の動物とではまず、「私たち」と「彼ら」のグループ分けの仕方が異なります。動物はいたってシンプル。リアルな血縁同士や仲間は「私たち」になります。ですが、人間の場合、だれが「私たち」や「彼ら」になるのかは人為的に変更可能です。

なぜこんなことが起こるのかというと、私たちが言語を使って思考をしているからです。言語を使って「私たち」と「彼ら」の区別をしているから、単純な血縁の近さが基準ではなくなってしまうのです。

もちろん、人間は言語を獲得して、他の動物とは異なる多くのことができるようになりました。実在しない概念などの複雑な思考ができるし、大勢のひととコミュニケーションが取れるし、表情やジェスチャーだけでなくいろんな情報を伝えて考えをよりよく理解できるし、多様な文化、科学技術もすごく発展しているわけですよね。間違いなく、言語のおかげでもたらされた恩恵はたくさんあります。でも、今日は言語がもたらしたデメリットも考えてみようと思います。

現在、六千言語以上あるといわれていますが、なぜそんなにたくさんの言語があると思いますか？　旧約聖書では、神様を怒らせたからだとされています。ある時点で、人間がアスファルトやレンガを作れるようになり、大きな塔を作って「天まで届くぞ」という行動をし始めたときに、神は人間の傲慢（ごうまん）さに怒って、同じ言語を話して大人数が協力し合うことができないよう、話す言葉をバラバラにしたそうです。

生物学的には、同一言語の大集団を形成できないのは言語を使う脳の特性の一つだと考えられています。人類は、小さな集団で生きてきた歴史がすごく長いです。脳の構造を調べる研究によると、人間の脳の新皮質▼の相対的な大きさは大体百五十人ぐらい、つまり一部族の情報処理に対応する大きさだそうです。私たち人間はそれよりも大きな集団のなかの社会的情報を処理するのは苦手だという脳のクセが、生物学的事実としてあるということです。

さらに言語を使う脳のクセの二つ目は、多様な現象をそのまま情報処理できないということです。たとえば人の皮膚の色は連続的に分布していて、ばらつきが著しいです。なのに、白とか黒とか黄色とかに分けて、ラベルを貼って、人種と呼ばれるカテゴリーを作って認識することを人間はやってきたわけですね。繰り返しますが、ばらついている現象を無理やりグループに分けて、その一つひとつのグループにラベルを貼って認識するという脳のクセは、私たちが言語を使っているから起こっていることです。ばらつきのある現象を、私たちの脳はそのまま処理できず、グループ分けし単純化して認識する傾向がありま

▼新皮質
大脳構造のうち哺乳類で出現した進化的に新しい部分であり、人間では、知覚、記憶、思考、随意運動、言語などをつかさどっている。

す。なぜなら、情報を共有する上で効率的であり、適応的だからです。

言語を使う脳のクセの三つ目は、「私たち」「彼ら」のラベルの貼り方において、グループの変更が可能ということです。動物の場合、グループの決め方は変えられませんが、私たち人間は言語を使っているので、いろいろな要素で「私たち」「彼ら」を作ることができ、会ったことがないひとでも仲間になることもあれば、血縁関係のあるひとでもものすごく憎い敵になることもありうる。

いま、ヨーロッパで戦争が起こっていますが、一方的に侵略しているのは「兄弟民族」で、多くのひとが同じ言語を話します。これは、少数のひとの歪(ゆが)んだ「大義」を多くのひとに押し付けるという、言語でしかできない暴挙です。動物の闘争の原因であるリアルな資源をめぐる争いではないのです。

こういうふうに、私たちは言語を使うせいで色々な脳のクセがあって、「私たちvs彼ら問題」を、他の動物よりもより深刻なものにしてしまっているのです。

「本当に違うのか？」

脳の機能といえば、チンパンジーの瞬間的に画像を記憶する能力は、人間より優れているといわれます。画面に数字がいっぱい出てきて瞬間的に消えても、どこにどの数字が出たかを記憶し、小さい数字から順にタッチすることができるのです。研究者によると、この能力は言語を獲得する前には人間ももっていたが、言語を獲得したことで失ってしまった可能性があるそうです。人間も、「失う」という進化が起こった生物なんですね。

さて、人間を理解するためには、比較が大事なのですが、比較して違いを見つけることだけが重要なのではありません。みんな習ったかもしれないですが、金子みすゞ▼さんの詩のなかで「みんなちがって、みんないい」という一節があります。これは、互いに違いを認め合いましょうという意味ですね。非常に美しく聞こえますが、単に違いを認めただけでは、区別しただけで終わってしまいます。自分が違いだと感じているものは、本当に違いだろうか？　どうして違いに見えてしまう、感じてしまうのだろうか？　違うと思いたいからじゃないのか？　その違いが客観的事実なら、どうやって生じるのだろうか？　では、類似しているのは何？　違いと類似の進化の歴史は？　このような問いかけをするのが生物人類学です。

最後に、ダライ・ラマ十四世の言葉をご紹介したいと思います。チベット仏教の最高位で、宗教家でありながら科学に興味をもっていて、科学の果たす意義をすごく重要視なさっている方です。彼は、パンデミックのなかで大学生からインタビューを受けてこう発言しました。「もはや、私たちの国とか私たちの祖国とかいっている場合じゃない。私たちの地球と考えるべきである」と。

私たちはどうしても部族ぐらいの小さな単位で考えてしまう脳のクセがある。けれど、そこを叱咤激励(しったげきれい)して、「私たち」を拡張しましょうといっているわけ

▼**金子みすゞ**　大正時代末期から昭和時代初期にかけて活躍した日本の童謡詩人。一九〇三年生まれ。二十六歳で夭逝するまで約五百編の詩を遺した。

です。そして、差別や対立ではなく、共通性や平等とは何かを考えなければならない。そのためには科学を使って、人間の感情や心をより良くしていくことが必要であると。

過去、私たちがたどってきた道というのは、もうどうしようもないです。「私たち」と「彼ら」と区別してしまう脳をもってしまった事実も変えられません。だからこそ、人間という生き物をよりよく理解した上で、意識的に、未来に向かって考え、行動していくことが必要です。

Q&A

——ひとって唯一、火が使える生物ですよね。チンパンジーはなんで火が使えないのでしょうか?

いい質問ですね。答えは、必要ないからでしょう。彼らは彼らで満足な生活をしているから。人間は、森林からサバンナに出てとても寒い夜に遭遇し、何とかしなくちゃならない状況におかれて、火を使う文化的行動を獲得したのですね。それでも、その発見は、おそらく偶然だったと考えられます。

チンパンジーもすごく多様な文化をもっているので、そう考えるとやっぱり、火を使う必要がない、そして火の使用を発見する機会がないのでしょうね。

なお、人間の文化とチンパンジーや他の動物の文化との決定的な違いがあります。おそらく約七百万年前の人間とチンパンジーの共通の祖先は、森で木の

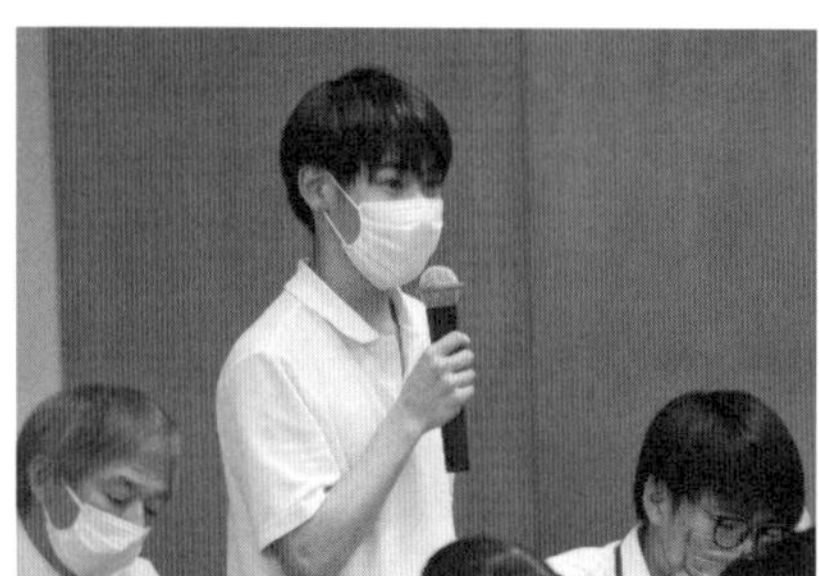

実や種を割って食べていたと思う。チンパンジーはいまでもまだ木の実や種を割っていますが、人間は宇宙まで行ってしまった。その違いは、人間には文化を積み上げる能力があることです。人間が進化していくことで能力が優れたのではなく、文化を積み上げる脳を獲得できただけ。そんなふうに解釈したほうがいいと思います。

わたしの思い出の授業、思い出の先生

Q1：思い出の授業を教えてください

高校生の私は文・理系の両方にある人類学に漠然と興味があり、理系学習が先だろうと考え大学の理学部に進学しました。ですが、遺伝・組織・生理学、数理解析、人体解剖・古人骨学等の多様な知識は、脳内で乱雑に散らばるだけでした。

留学して衝撃を受けた授業は、指導教授David Pilbeamが化石からDNAを包括的に語る人類進化学、Steven Jay Gouldの進化古生物学とIrven DeVore & Terrence Deaconの人間行動生物学です。これらでダーウィンと「正式に」出会い、人間を含む生物の心身の考察には変異と進化の理解が重要で、知を統合する柱だと気づいたのです。勉強と研究はワクワクするものになり、アフリカや欧米各地で貴重な経験をすることができました。

近年の人間探求では文・理の壁が取り払われ、文化や言語についても学際的研究が進んでいます。残念ながら、「進化はより良くなること」という誤解はいまだに差別を助長しているので、改善に関わっていきたいです。

わたしの仕事をもっと知るための3冊

エドワード・O・ウィルソン『知の挑戦――科学的知性と文化的知性の統合』（山下篤子訳、角川書店）

内田亮子『進化と暴走――ダーウィン『種の起源』を読み直す』（現代書館）

内田亮子『生命（いのち）をつなぐ進化のふしぎ――生物人類学への招待』（ちくま新書）

コウノトリが帰ってくる田んぼへ
保全生態学と市民科学

鷲谷いづみ

わしたに・いづみ＝生態学者。一九五〇年生まれ。東京大学大学院理学系研究科修了（理学博士）。筑波大学、東京大学、中央大学で教鞭をとった。日本における保全生態学の第一人者である。主な著書に『タネはどこからきたか？』『コウノトリの翼――エコロジストのまなざし』『さとやま――生物多様性と生態系模様』など。

「市民科学」という言葉を聞いたことがありますか？　身近な地域を観察して動物や植物の種類と数を数えたり、研究機関のモニターになったりなど、市民（住民）が中心的な役割を果たす科学の営みのことです。とくに欧米では環境保全のためにこの概念が重視されていて、各国も積極的に取り組みを進めようとしています。

この「市民科学」と非常に親和性が高いのが、生物学のなかの一分野である「生態学」です。自然の仕組みや働き、そしてその自然を作っている生物について研究する学問で、遺伝子研究などのミクロな生物学に対応して「マクロな生物学」とも呼ばれます。生態学は生物だけではなく、ひとや社会にも目を向けます。ですので、研究においては机に向かうばかりでなく、市民など社会の主体との協働も重要です。

本日は生態学における市民科学の役割やその意義について、お話ししようと思います。

現代は「地球の危機」の時代

「ひとはどうして環境の危機をもたらしてしまったのか」は、人類におけるとても重要なテーマです。

現生人類ヒト（学名ホモ・サピエンス）は二十万年ほどに地球上に登場しました。五万～六万年前にユーラシア大陸に進出し、そのあと何回かに分けてアフリカを出て、長い旅を経て、私たちの祖先は日本列島にたどり着きました。現代は、地質時代の区分でいうと「完新世」に分類されます。完新世が始まったのはおよそ一万年前。このころから温度環境が安定して季節のめぐりが規則的に起こるようになり、農業が可能になりました。農業ができるようになると定住も可能になるので、集団が大きくなります。結果として、家族や社会、文明が発達しました。

しかし、産業革命以来、人間がその生産活動によって自ら大きな環境変動をもたらすようになります。この時代を「人新世」と呼びます。大気汚染や水質汚染などをはじめ、気象災害の頻発で、たくさんのひとの命や生活が脅（おびや）かされるようになりました。一九七〇年代以降、「地球環境は持続可能ではない、すでに限界を超えているのではないか」という認識が、科学者のあいだで徐々に高まります。二〇〇九年には、環境学者ヨハン・ロックストロームをはじめとする欧米各国二十九名の科学者が、地球環境が安定的に持続するためのさまざまな限界値である「プラネタリー・バウンダリー」を定めて現状を評価する論文を共同で発表しました。この論文では、現在の地球環境が安定的な環境からどれだけ逸脱しているのか、九つの分野を取り上げて分析・評価しています。その結果、九つの評価軸のうち、「気候変動」「生物多様性の喪失」「窒素循環への干渉」の三つは、すでに安全な環境を保つための限界値を超えていることが示されました。

なかでもとくに深刻なのが「生物多様性の喪失」です。プラネタリー・バウンダリーで定められた限界値は「一年間で百万種あたり十種が絶滅する状態」でしたが、現在は一年間に百万種あたり百種以上が絶滅しています。一九九二年に国連環境開発会議、通称「地球サミット」が開かれた際、生物多様性条約が締結されています。この条約の主な目的は生物多様性の保全および持続可能な利用で、日本を含む世界中のほとんどの国が締約国になっています。条約の目標達成については、「種の絶滅」「生態系サービス」の二つの点から定期的に評価と見直し、目標設定がなされます。生態系サービスという言葉には耳なじみがないかもしれませんね。これは、食料がきちんと生産される、綺麗な水が利用できる、アクティビティや憩(いこ)いの場としての森や湿地がある、など、生態

▼ヨハン・ロックストローム
スウェーデンの環境学者。一九六五年生まれ。ストックホルム大学で自然資源管理博士号を取得。ストックホルム環境研究所、ストックホルム・レジリエンス・センター所長を歴任後、二〇一八年よりポツダム気候影響研究所所長。地球規模の持続可能性研究の第一人者で、地球の発展と持続可能性に関する研究機関と研究者が国境を越えて集まった「アース・リーグ」の共同代表として二〇〇九年の論文を発表した。

▼プラネタリー・バウンダリー
他の指標には、「海洋酸性化」「土地の農地化」「淡水利用」「オゾンホール」「大気エアロゾル粒子」「化学物質による汚染」がある。

系の働きによってわれわれにもたらされる恩恵のことです。目標達成の評価に際しては、これらの恩恵を貨幣価値に換算し計算されることもあります。この恩恵は生物多様性が守られ、生態系が正常に機能していて初めて受けられるものなので、もちろん種の絶滅と無関係ではありません。

「市民による生物多様性保全」

それでは、生物多様性の保全とそれにまつわる調査や研究にはどのようなものがあり、誰がどのように行っているのでしょうか。

じつは、研究者だけではなく、市民もこの分野では大きな役割を担っています。代表的な役割は、種ごとの個体数の把握です。

市民による生物多様性調査のなかでも有名なものが、南北アメリカやイギリスで行われている「クリスマス・バード・カウント」です。野鳥保護を中心に自然保護に取り組むアメリカの団体であるオーデュボン協会▼によって一九〇〇年から開催されていて、今年（二〇二〇年五月現在）で百二十二回を数えます。クリスマスシーズンに行われ、参加者それぞれが、受け持ちのエリアにどんな鳥が何羽いるかを数えるイベントです。昨年は七万人以上の参加者が二千四百以上のエリアで調査をしました。

日本でも、一九九四年から「全国鳥類繁殖分布調査」としてボランティアが

▼オーデュボン協会
水鳥の保護を目的とした前身団体が一八九六年に活動を開始し、一九〇五年に設立。会名に戴く「オーデュボン」は、北アメリカの鳥類を仔細（しさい）に描き、紹介した書籍『アメリカの鳥類』の著者ジョン・ジェームズ・オーデュボンに由来する。現在の会員数は六十万人を数える。クリスマス・バード・カウントはオーデュボン協会が前身団体だったころから行われている。

鳥を数えています。

これらの活動で集められたデータは、情報科学の力でデータベース化されます。世界的に見ると、前述のオーデュボン協会とコーネル大学の鳥類研究室が共同で立ち上げたデータベースが最も大きく、広範なフィールドワークを行うのが難しい研究者が論文を書くのに活用したり、南米の国がこのデータベースに基づいて環境政策を立案したりしています。日本でも、野鳥保護や調査を行う団体である日本野鳥の会▼が、日本語版のデータベースとして「eBird Japan」を作成しています。

▼**日本野鳥の会**
一九三四年に野鳥研究家で詩人の中西悟堂によって設立された、日本最大にして最古の自然保護団体。調査研究や地域の自然環境保全活動支援のほか、バードウォッチングイベントの開催、書籍やウェブサイトでの情報発信など幅広い活動を行っている。

「日本における市民参加型プロジェクトの実例」

私たちが実際にかかわった生物多様性市民科学プロジェクトをご紹介いたします。

まず、当時所属していた東京大学の、地球環境に関するプログラムのなかに、保全生態学のプロジェクトを立ち上げました。私は途中から中央大学に移籍して、中央大学の保全生態学の研究室でプロジェクトを続けました。具体的には、プログラムの設計、モニタリングに参加してくれる市民の研修、収集データの評価とデータベースへの登録などです。データベースとその入力システムの構築は、東京大学生産技術研究所が担当してくれました。

また、「パルシステム東京」という、環境意識の高い組合員が多い生協からモニターを募集して、協働しました。研究者は東京都内で高密度・広範囲なデータを得ることができ、市民は生き物の観察を楽しみながら学ぶことができる、という、双方にとってプラスになるプログラムです。市民に送ってもらったデータを使って、中央大学の学生が修士論文を書いたこともあります。プロジェクトには、五年あまりで九百名以上の市民が参加して、三万件ほどのデータが集まりました。アマチュア研究者による採集記録と照らし合わせても、東京にいるチョウがこの三万件でほぼ網羅できているということがわかっています。これをもとに『ネイチャーガイド――東京のチョウ』という図鑑も作りました。科学にとってプラスになるだけでなく、参加する方がたにとっても、観察調査が生きがいになったり、個体数を数えるのに歩き回るので健康促進になったりするなどのメリットがあるということも、参加者の声から明らかになりました。

市民と一緒にあつめたデータを活用するためには、報告数の多い種を順に並べてグラフにし分析します。

報告数が多く東京で一番個体数の多いと推測されるチョウはヤマトシジミです。みなさんもヤマトシジミをよく目にするのではないでしょうか。チョウは種ごとに幼虫の食草が決まっているため、その地域に多く生えている植物の種類によって生息するチョウも変わります。そのため、東京都には、都会にもたくさん生えているカタバミの葉を食べるシジミチョウが多く生息することになるのです。また、個体数の多さには、年に何回繁殖ができるかということも関わってきます。

注目すべきは三位のツマグロヒョウモンです。じつはこのチョウは、四、五十年前には東京には見られず、もっと暖かい地域に生息していた種なのです。都市はヒートアイランド化して、郊外よりも気温が高いため、それに対応して増えているようです。また、ツマグロヒョウモンの幼虫はスミレを食べるのですが、スミレの仲間であるパンジーが都市部の花壇や庭にたくさん植えられていることも個体数増加の一因であり、さらにこれからも増えるだろう、ということがわかります。これらの個体数の変動を記録し、分析することで、環境や生態系、生物多様性の変化がわかります。

コウノトリの帰ってくる湿地を作る

生態系保全に自治体や市民が大きな役割を果たしている実例に、コウノトリの野生復帰があります。

コウノトリは翼を広げると二メートルにもなる、大きくて美しい鳥です。おもな生息地はシベリアから中国、北朝鮮などの湿地で、個体数は二千~三千羽の絶滅危惧種です。かつては日本でも営巣していたのですが、湿地や水田の開発などが理由で日本にいる野生のコウノトリは一九七一年に絶滅してしまいました。

もともと日本の田んぼは、生き物の非常に豊かな場所として、湿地に近い役割をはたしていました。水田にはゲンゴロウやタイコウチなど絶滅危惧種の水生動物もたくさん生息しており、全国各地で生物多様性の高い生態系が維持されていました。先ほど説明した「生態系サービス」の観点からいえば、お米がとれること以外にも土壌でろ過されたきれいな水や洪水の防止、またカエルやメダカなど生き物の棲処(すみか)となるなど、さまざまな利益を得ることができていました。生物多様性に関連する国際的な政策のなかで、湿地が防災・減災の役に立つことが重視されていますが、日本の多くの地域で水田がこの役目を担っていたのです。

ところが、現在の水田は、かつての水田とはまったく変わってしまいました。昔は水田には一年中水が張られ、土壌も湿っていたのですが、いまでは稲刈りが終わると水を落として、乾いた農地にしてしまうため、とくに両生類や水生昆虫の生態系が脅かされています。また現代の稲作においては肥料と農薬をたくさん使います。水田のための肥料は小さなプラスチックのカプセルに入れて撒かれるので、プラスチックによる海洋など水域の汚染の問題も招いている可能性があります。さらに、少子高齢化とそれに伴う後継者不足により、農業人口がどんどん減っています。農林水産省のデータによると、一九六〇年にはおよそ千百七十五万人が農業に従事していましたが、六十年後の二〇二〇年ではおよそ十分の一である百三十六万人しかいません。地方では農家の廃業が相次ぎ、耕作放棄地が急増しています。イノシシやシカ、アライグマなど野生動物による農被害も全国で増大しています。気候変動によって自然災害も増加しています。

稲作をしても自然災害でダメになり、せっかく稲穂が実るところまでこぎつけても野生動物に食べられてしまい、高齢者が続けられる状況ではなくなってしまう。農業、とくに稲作は、持続可能性の低い状態になってしまっています。この悪循環を断ち切るには、どうしたらよいのでしょうか。

近年、兵庫県豊岡市をはじめ全国各地で、コウノトリを中心に据えて水田の再生を目指す試みがなされています。カエルや昆虫の生息環境を取り戻し、それらを餌とするコウノトリが生きられるようにすることで、相乗効果的に水田もよみがえっていきます。一年中水田に水を張っておくことで、水棲生物の生態系が保全されやすくなります。コウノトリに優しい農法で作られたお米として、ブランド化することもできます。また、完全肉食のコウノトリは、アメリカザリガニやウシガエルのような外来種を食べてくれます。さらに、耕作放棄地を湿地に変えていく活動も行われており、湿地の水源を共同管理することで村の団結を強めることにもつながります。

先ほどあげた兵庫県豊岡市や福井県などが実施してきた、これらのコウノトリの保全活動。成果は順調にあがっており、全国各地にコウノトリがいたかつての水田の風景が戻ってきつつあります。これらの活動においては、幼鳥のうちに足輪をつけて、渡り鳥であるコウノトリの、個体ごとの移動や繁殖などのデータを集めています。これはいままで行われてこなかった、新しいモニタリングです。最近では動物の行動心理やパーソナリティの研究が注目されているので、この観点からも個体ごとのデータ収集は重要なものです。個体ごとの行動の違いを分析することによってコウノトリの生態を詳しく知り、住みやすい環境を、より細やかに整備していく指針を作ることができます。

市民科学を活用したコウノトリとの共生は、自然との共生の具体的な目標となっています。コウノトリに優しい眼差(まなざ)しを向けて観察しているひとたちがデータベースを共有することで地域を超えて結びつき、絆が生まれます。この絆は時代をも超えるものです。研究者がこのデータを使って研究することで、後進世代の研究者たちに知のたすきをつないでいくこともできます。環境保全や生物多様性保全に関わる研究者は、その研究の性質上、「いまどうであるか」だけでなく「かつてどうであったか」を知りたいことが多く、これらのデータベースがあれば、将来、未来の研究者や未来の市民と絆を結ぶことができると思うのです。

Q&A

――生物多様性条約や国際的な政策についてのお話がありましたが、私たち市民が自主的に行うことのできる生態系保全の方策はありますか。

まずは地域の身近な自然に目を向けてよく理解することが、問題解決の第一歩であると思います。それから、小さな湿地を一つ作ってみるとか、むかし使われていていまでは荒れてしまった溜め池をきれいにして水生昆虫が住めるようにするとか、小さいスケールで生物多様性を豊かにしたり、いなくなってしまった生き物を呼び戻したりする方法はあると思います。

市民や自治体・市町村、それから環境省や農水省の連携をつくっていくことも大切なのではないかと思います。

――私の家の周りにはシラサギやアオサギが毎年飛んできて、巣作りをします。町内会で繁殖を手助けしたいと思っているのですが、愛護法や保護法などの法律の影響でなかなかうまくいきません。どうしたらいいですか。

鳥に詳しい方や行政にまずは相談するのが一番いいと思います。シラサギやアオサギはコロニー（群れ）を作って繁殖するので、糞尿や騒音について近所から苦情が出てしまうことも考えられます。地域の方がたと一緒に、専門家や行政と話し合って、合意を取りながら進めていくことをおすすめします。

わたしの思い出の授業、思い出の先生

Q1：思い出の授業を教えてください

小学校5年生のときに、何の科目の授業だったかはよく覚えていませんが、先生がアメリカの雑誌で日本でも翻訳版が出ていた「リーダーズ・ダイジェスト」の記事を紹介してくださいました。それは、人間の活動のせいで絶滅した生物や絶滅しそうな生物がいる、その保護がこれから重要な課題となるという内容でした。

Q2：その授業が記憶に残っている理由はなんですか?

それまで、生物の絶滅について、さらに人間活動が原因となって絶滅しそうな生物がいるということをまったく知りませんでした。その話の内容にはとてもショックを受け、心に深く刻まれました。

Q3：その授業は人生を変えましたか?

そのことだけが人生を変えたわけではありませんが、生物の絶滅についてはじめて認識したことが、大学で生物学を学び、さらには生物多様性の保全のための保全生態学を志したことには、その授業の内容が深く影響していたようにも思われます。

わたしの仕事をもっと知るための3冊

鷲谷いづみ『大学1年生の　なっとく！ 生態学』（講談社）

鷲谷いづみ『実践で学ぶ〈生物多様性〉』（岩波ブックレット）

鷲谷いづみ『さとやま――生物多様性と生態系模様』（岩波ジュニア新書）

生物はなぜ死ぬのか

小林武彦

こばやし・たけひこ＝生物学者。一九六三年生まれ。九州大学大学院修了（理学博士）。基礎生物学研究所、米国ロシュ分子生物学研究所、国立遺伝学研究所を経て、東京大学定量生命科学研究所教授（生命動態研究センターゲノム再生研究分野）。主な著書に『寿命はなぜ決まっているのか』『生物はなぜ死ぬのか』など。

ひとそれぞれに顔立ちや性格、嗜好（しこう）が異なるのはゲノムと呼ばれる遺伝情報の違いが原因です。人間同士のあいだではわずか〇・一パーセント、霊長類のなかで人間ともっとも近いチンパンジーとは一・五パーセントの違いしかありません。ざっくりいってしまえば遺伝情報がほぼ同じ、つまり同じような遺伝子、体の構造をもっているといえます。ちなみにバナナと人間も五〇パーセントは同じです。生物がもつゲノムの基本的な部分は同じであり、進化の過程をずっとたどっていくとすべての生物のご先祖様にたどり着きます。バナナと人間ももとは同じ先祖から生まれ、進化のなかでひとつはバナナになり、もうひとつは人間になった。進化の過程で違いが生まれていくけれど遺伝子の重要な構造は変化していない。この生物を決めるゲノムから、生物はなぜ老い、死ぬのか考えていきましょう。

解明できないことがあったとき、生物学者は進化に立ち返って考えます。大元をたどれば原因がわかるかもしれないという発想です。老化と死の謎を解くためにまず生物誕生のとき、三十八億年前の地球にタイムトラベルしましょう。

三十八億年前の地球は溶岩や硫酸ガスなどが噴き出し、有害な紫外線や放射線が降り注ぎ、とても生物が住める状態ではなかったと考えられています。ただこの状況は化学反応を引き起こすという点では好条件でした。ガスが吹き出す温泉のような熱水噴出孔の周辺で化学反応が起きた結果、RNA、アミノ酸などの有機物が合成されました。ここで進化のプログラムが偶然動き出します。

生命の種「RNA」の誕生

プログラムとはコンピュータのなかの約束事のようなものですが、進化の約束事とは「変化と選択を繰り返す」ことです。変化は親とは違う多様な個体ができることで、専門用語で「変異」といいます。みなさんも親と似ているところと似ていないところがあると思いますが、これが変異です。選択とは多様な個体のなかでたまたま環境に合って生き残ることができることで「適応」ともいいます。適応できたものが生き残り、他は死んでしまう。このプログラムをずっと繰り返し、生命が誕生し、さまざまな生物が生まれました。

RNAはA（アデニン）、G（グアニン）、C（シトシン）、U（ウラシル）という四種類の塩基▼がつながった長いひも状の分子です。RNAはこの四種類の塩基

▼**塩基**
DNA・RNAを構成する、窒素を含む複素環式化合物。

の並び順によってさまざまな配列や形を作ることができます。またRNAには自己編集能力があり自身で長さ、配列、構造を変えることもできます。この四種類の塩基はレゴブロックのようなものでAはUとくっつき、GはCとくっつくようになっていて、RNAはもとの型と裏表になる鋳物（いもの）のような二本鎖構造を作ることができます。この二本鎖は熱やアルカリの影響で解離して一本鎖になるため、またそれぞれが鋳型となり二本鎖を作る。これを繰り返すことで同じものが生まれていきます。つまりRNAは自分のコピーを作る自己複製能をもっているのです。

この無数に生まれていく配列や構造のなかでもよりコピーを作りやすいものが現れます。たとえばある配列をもったRNAが増えやすいとします。すると他のRNAは分解されその配列の材料になる。RNAは物質であり生物ではありませんが、この分解は生物でいえば死に当たります。さらにこの増えやすい配列のなかでも変化が起こったとします。これがこれまでのRNAに比べるとより自分のコピーを作りやすい性質をもっていれば、以前のRNAは壊れて材料となり、このより増えやすいRNAが残って増えていくことになる。こういった変化と選択を繰り返すことでより効率よく増えるものが残り、生命の種が誕生したのです。これがわたしたちの超ご先祖様です。

RNAが誕生した熱水噴出孔の周りには核酸、タンパク質、脂質など細胞の材料となる有機物が蓄積していました。やがてRNAとタンパク質がくっついてドロドロとした固まりを作るようになります。このＲＮＡとタンパク質の複合体からリボソームが誕生しました。リボソームはＲＮＡの塩基の配列情報からアミノ酸をつなげてタンパク質を作る装置で、現在もすべての生物の細胞に存在しています。さきほどＲＮＡが超ご先祖様といったのはそういう意味です。

ＲＮＡはやがてより壊れにくいＤＮＡに変わります。ＤＮＡは遺伝物質で、さきほどあげたゲノムが情報だとしたら、その情報が書かれている紙に相当するのがＤＮＡです。ＤＮＡはＲＮＡと似たような構造で、Ａ（アデニン）、Ｇ（グアニン）、Ｃ（シトシン）、Ｔ（チミン）という四つの塩基があり、ＡがＴ、ＧがＣとくっつく関係にあります。またこの四つの塩基のうち三つが組み合わさってひとつのアミノ酸を指定するコードになっています。

やがてこのＤＮＡが油でできた膜で包まれるようになり、隔離された状況のなかでより効率的に増えることができるようになりました。細胞の誕生です。そして長いときを経て細胞同士がくっついたり増えたりすることで多細胞生物であるヒトへと進化していきます。つまり生物の起源はＲＮＡやＤＮＡといった物質であり、重要なのはその配列である遺伝情報、ゲノムです。ゲノムは壊され、作り替えられ、選択され進化しました。

老化のメカニズム

ヒトのゲノムは約三十億の塩基対でできていて、いまも進化のプログラムを続けています。みなさんと両親ではこの三十億のうち百個程度が異なります。たいした違いではないように思えますが、これが祖父母になるとそのまた百個違うことになる。一世代を二十年として遡っていくと六百万年前のご先祖様と私たちには三千万個の違いがあることになります。三十億のうちの三千万、つまり一パーセントの違いです。ヒトとチンパンジーのゲノムの違いは一・五パーセントだといいましたが、ヒトとチンパンジーが別れたのが六百万年前なので大体計算が合うわけです。ヒトが猿と共通の祖先から進化したなんて信じない、というひともいるかもしれないけれど、ゲノムの変化速度から考えると紛れもない事実だといえます。

ゲノムの変化はDNAを複製するときに起こります。多細胞生物も最初は一個の受精卵から始まり、何度も分裂を繰り返してヒトの場合は約三十七兆の細胞によって体が作られていきます。この細胞分裂の前に細胞の核に入っているDNAの複製が行われますが、このときにゲノムの変化が起きます。▼DNA合成酵素によりRNAのときと同じように二本鎖のDNAがほどけ、一本鎖になったそれぞれのDNAに対応する塩基がつながりコピーを作っていきます。これによりまったく同じ配列をもったDNAが二本でき、それぞ

▼**DNA合成酵素**
DNAを合成・複製する酵素の総称。四つの塩基を重合させ、鋳型（いがた）とするDNAに対して相補的な塩基配列をもつDNAを合成する。

れの鎖が新しい細胞に分配されます。

ヒトのDNAは約二メートルあり、それが直径一〇マイクロメートルぐらいの細胞の核に押し込まれている状態です。この複製の際にDNAがこんがらがったり切れてしまったり間違った組み合わせになってしまうことがあります。DNA修復酵素▼によりほとんどの間違いは修正されますが、一部が修正されないまま残り、徐々に間違いが蓄積され老化を引き起こします。このゲノムの変化は長い目で見れば進化を引き起こしますが、ひとりの一生として見ると老化を引き起こしているのです。

ヒト早期老化症のひとつウェルナー症候群▼ではゲノムの修復にかかわる遺伝子の働きが弱いことが原因だと判明しています。またもう少し視野を広げて、人間と人間以外の哺乳類とで寿命とDNAの壊れやすさの関係を見てみると逆相関にあることがわかりました。これは二〇二二年四月に海外の研究グループが発表した研究ですが、哺乳類のなかではマウスがもっとも寿命が短くDNAが壊れやすくて、ヒトがもっとも寿命が長くDNAが壊れにくいことがわかりました。

ひとはなぜ老い、そして死ぬのか。その答えはDNAでできているゲノム（遺伝情報）が壊れるからです。なぜ壊れるかというと進化のプログラムでそのように決められていたから。すべての地球上の生き物は進化の結果に誕生し、進化するために老化や死が起こるということです。

▼DNA修復酵素
DNA修復を行う酵素の総称。複製ミスや環境要因によってDNAに生じた損傷部位を認識し、正常な塩基配列に戻すはたらきをもつ。

▼ウェルナー症候群
老化速度が早くなる潜性遺伝病。思春期を過ぎてから急速に老化症状が現れる。

進化のルール上いずれ死ぬのはいたしかたないとはいえ、健康に長生きしたい、老化を少しでも遅らせたいという願望はありますよね。とくに日本のように超高齢化社会では年をとってからも元気に暮らしていくことは重要な課題です。

老化はゲノムが壊れることで引き起こされるといいました。では壊れないようにすれば老化を遅らせることができるかもしれない。そこでゲノムのなかでもっとも壊れやすいリボソームRNA遺伝子に焦点を当てた老化研究を紹介します。

リボソームは先ほど触れたように三十八億年前からすべての生き物の細胞に存在するタンパク質をつくる装置で、その働きはリボソームRNAが担っています。このリボソームRNAを作るための遺伝子がリボソームRNA遺伝子、略して「rDNA」です。

このrDNAを調べるために使用した生き物は酵母菌です。生物の研究ではどの生物で研究を行うかが重要な鍵になります。ヒトを実験に使用するのはもちろん倫理的に問題があるし、たとえ安全な方法で研究ができたとしても寿命が長すぎて結果がでるまでに時間がかかりすぎてしまいます。みなさんもはじめてプラモデルを作るときには、ものすごく複雑なものからはじめるよりも簡単なものからはじめますよね。それと同じで、生物がもっている基本構造は同じだから、もっと単純な構造をもつ実験しやすい生物を選んで実験を行います。

酵母菌は果物の表面に住んでいて、パンを膨らませたり、アルコール発酵でお酒を作ったりとみなさんも何かとお世話になっている生き物です。そして酵母菌の寿命はわずか二日。食べてよし、飲んでよし、調べてもよしという私の大好きな生き物です。

酵母菌の二日間の分裂を調べたところ、お母さん細胞が分裂するごとに小さな娘細胞が生まれていきますが、お母さん細胞は二十回分裂したところで死んでしまいます。十七回までの分裂で生まれた娘細胞は正常で、お母さん細胞と同じように二十回分裂できましたが、最後の十八〜二十回の分裂で生まれた娘細胞は他の娘細胞に比べると非常に大きくて生まれてすぐに死んでしまいました。これは最後の三回の分裂ではお母さん細胞がもう老化して正常な分裂ができなかったからです。

十七回までに生まれてきた娘細胞はお母さんの年齢に関係なく寿命をまっとうしていますが、これは非常に重要なことです。

たとえば自分より五つ年上の兄姉がいたとして、兄姉(きょうだい)を産んだお母さんは自分を産んだときより五歳若かったことになりますが、だからといって兄姉に比べて自分の寿命が五つ短いのかといえばそんなことはないですよね。必ずリセットされてゼロから始まる。大人から大人は生まれない。大人から生まれるのは赤ちゃんだけ。このリセットがあるから生命の連続性が維持されているわけです。

このときｒＤＮＡがどうなっているかを見てみましょう。細胞の核にはＤＮＡが太く折り畳まれたひも状の染色体があります。ヒトの場合は四十六本ですが、酵母菌は十六本の染色体をもちます。酵母菌の十二番染色体にｒＤＮＡのコピーが百五十個も並んでいます。ほかの遺伝子がコピーを一個しかもたないのに対しｒＤＮＡはそれぞれの種によって固有のコピー数をもちます。もっとも昔から存在する生き物の一種である大腸菌ではコピー数は七、酵母菌では百五十、ヒトでは三百五十と、これは進化の過程で増えたと考えられています。生き物の体はタンパク質でできていて、タンパク質を作るリボソームに欠かせないｒＤＮＡが必要です。だから進化の過程で生物はｒＤＮＡを増幅させるようになったのです。

ＤＮＡの変化はコピーの際に起こるといいましたが、これだけ数があるということはそれだけ変化が起こりやすく壊れやすいということです。ｒＤＮＡがコピーを作るとき二本鎖だったものが一本ずつに開きますが、開いたときに隣にも百以上の同じｒＤＮＡが並んでいるから、そことくっついてこんがらがりやすい状態です。そうするとうまくｒＲＮＡを作ることができないため、これを防ぐために▼Ｓｉｒ２というタンパク質がｒＤＮＡのこんがらがるのを抑制します。

▼Ｓｉｒ２
酵母から初めて見つかったサーチュイン遺伝子のひとつ。ｒＤＮＡの安定を保つはたらきをもつ。

先ほどの酵母菌の実験でこのＳｉｒ２を減らしてみると、通常であれば二十回分裂するはずが十回で死んでしまいました。逆にＳｉｒ２タンパク質を二倍に増やしてみると予想通り寿命が三〇パーセント延びました。つまりｒＤＮＡの壊れやすさを防ぐことで寿命を延ばすことができるのです。

これで遺伝子のすべてが同じように壊れやすいわけではなく、壊れやすいものが老化を引き起こしていることがわかりました。わかりやすくたとえるなら、クラスに百人の生徒さんがいてその内の九十人がテストで百点を取り、残りの十人は満点を取れなかった場合、そのクラスの平均点はその十人が決めることになるでしょう。その十人に相当するのがｒＤＮＡです。

ヒトの寿命

いまのは酵母菌で実験した結果ですが、ヒトの場合ではどうなるでしょう。名称は変わりますがヒトにもＳｉｒ２タンパク質と同じ働きをするサーチュイン遺伝子▼があります。ただヒトで実験することはできないのでヒトと同じくサーチュイン遺伝子をもつマウスで実験した例を紹介します。

マウスにはサーチュイン遺伝子が七個あって、一番～七番のうち六番のサーチュイン遺伝子ＳＩＲＴ６を大量生産すると寿命が二〇パーセント延びました。しかしこのようなゲノム編集はヒトでは行うことができません。ではヒト

▼サーチュイン遺伝子
老化や寿命の制御に重要な役割を果たすとされる遺伝子で「長寿遺伝子」とも呼ばれている。細菌から哺乳類まで、多くの生き物に備わっている。ヒトを含む哺乳類では七種類が見つかっておりＳＩＲＴ１～７と命名されている。

の老化を抑制するためにはどうすればいいか、食べ物やサプリメントでサーチュイン遺伝子を活性化できないか考えるわけです。

Ｓｉｒ２タンパク質はＮＡＤ＋というビタミン（補酵素）で活性化します。このＮＡＤ＋はＮＭＮという物質から作られていて、ＮＭＮが細胞内に入るとＮＡＤ＋になります。実験では、ＮＡＤ＋は直接細胞に入りにくいのでより細胞に入りやすいＮＭＮを使用します。ある大学グループの研究ではマウスにＮＭＮを与えたところ寿命は延びなかったものの体毛が増えたり、体力の回復など若返りの効果が見られました。

グーグルで「ＮＭＮ」を検索するとたくさんサプリメント出てきますが、実際にヒトに効果があるのかはわかりません。私は科学者なので証拠がないと効くとはいわない。マウスで効くから、もしかしたら効くかもしれないとはいえます。ヒトでは絶対に実験できません。たとえばマウスみたいに、この百人と別の百人すべてに同じ食べ物を与え、うち百人にはＮＭＮを与えるなんて実験は実現できないでしょう。しかもそれを何十年もやらなければ結果はでない。将来的に見ればサプリメントの効果がわかるのかもしれませんし、あるいは別の効果的なものが見つかる可能性もある。

いずれにしてもみなさんが飲んだりする必要はありません。ＮＭＮの量は六十歳くらいまで変化しませんので、いまのみなさんの細胞にはＮＡＤ＋もＮＭＮも溢れています。だから普通に食事をとっていれば問題ありません。

▼NAD＋
ニコチンアミドアデニンジヌクレオチド。さまざまな代謝細胞プロセスやＤＮＡ修復などの重要な身体機能に関与している重要な補酵素。サーチュイン遺伝子を活性化させるはたらきがあり、加齢とともにＮＡＤ＋のレベルは低下していく。

▼補酵素
酵素作用の発現に必須の低分子有機化合物。

▼NMN
ニコチンアミドモノヌクレオチド。リボースとニコチンアミドに由来するヌクレオチドでヒトの体内に入るとＮＡＤ＋になりサーチュイン遺伝子を活性化する。緑黄色野菜にも含まれている。

生物が老い、死ぬのはゲノムが壊れるからでこれは進化の宿命です。その老いを少しでも遅らせるためにはゲノムを壊れにくくすればいい。それがいまの老化研究が出した答えです。今日のお話でみなさんが少しでも生物学に興味をもっていただけたら幸いです。

Q&A

——遺伝子の変化で起こってしまう障害について先生はどのように思われますか？

生き物には多様性を作るためのシステムがありますから生物学的に考えるとどこからが障害かの判断は難しいと思います。たとえば色覚異常は昔は「色盲」と呼ばれ、色がわからない障害とされてきました。しかしいまは見えにくい色を使わないようにしたり、信号もＬＥＤに変えたことで見えるようになりました。これはもう障害とはいえませんよね。ほとんどのことは社会構造を変えることで障害ではなくなると思います。生物学的にいえば障害ではなく多様性であり、多様性はあって当然です。多様性を認められるような社会を作っていくことが大切だと考えています。

わたしの思い出の授業、思い出の先生

Q1：思い出の授業を教えてください

大学のときの分子遺伝学の授業。遺伝子の最先端の研究について学んだ。

Q2：その授業が記憶に残っている理由はなんですか？

遺伝子の研究はすごいと感動。自分も含めた生き物の正体がわかるかもしれないと思い、ワクワクが止まらなくなりました。

Q3：その授業は人生を変えましたか？

変わりました。それまで脳の研究をしようと思っていましたが、遺伝子研究に変えました。それ以来遺伝子研究まっしぐら！

わたしの仕事をもっと知るための3冊

小林武彦『生物はなぜ死ぬのか』（講談社現代新書）

小林武彦『寿命はなぜ決まっているのか――長生き遺伝子のヒミツ』（岩波ジュニア新書）

小林武彦『DNAの98%は謎――生命の鍵を握る「非コードDNA」とは何か』（講談社ブルーバックス）

思春期とは何か
ゴリラからの提言

山極壽一

やまぎわ・じゅいち＝京都大学名誉教授。現在、総合地球環境学研究所所長。一九五二年、東京都生まれ。日本モンキーセンター・リサーチフェロー、京都大学霊長類研究所助手、同大大学院理学研究科助教授、教授を経て、二〇一四年から二〇年まで京都大学総長を務めた。著書に『ゴリラからの警告「人間社会、ここがおかしい」』『サル化する」人間社会』『サルと歩いた屋久島』など多数。

これまで四十年以上、アフリカでゴリラの調査をしてきました。まずはこの研究を始めた経緯からお話しします。

私が大学へ進んだ一九七〇年は、まさに激動の時代でした。三月からは大阪万博が開催され、希望に満ち溢れた未来が始まるという機運が高まりました。一方その年の十一月、三島由紀夫が「まだ日本は、戦後の総決算ができていない」という主張のもと、市ヶ谷の自衛隊本部で割腹自殺をとげます。戦争が落とした暗い影と、科学の力による明るい未来予想図が同時に存在する、奇妙なねじれがある時代に私の青春は始まりました。

大学ではスキー部に入り、冬はほとんど授業に出ずにスキーばかりやっていました。そんなある冬、長野の志賀高原でサルを観察している研究者に出会ったのです。「何をやっているんですか?」と聞いてみると、「サルを見て人間を調べているんだ」という答えが返ってきました。このとき私は、人間を知るためには人間の社会を一歩出て、人間に近い動物の社会を研究するという方法があると知ったのです。

「ゴリラを知って、人間を知る」

当時、盛んに議論されていたのがチャールズ・ダーウィンの「進化論」です。十九世紀にダーウィンは進化論を発表し、著書『種の起源』『人間の由来』で「すべての生物は進化の産物である」と発表しました。これにより人間も、ヒトという霊長類の仲間であるという認識が広く伝わったのです。しかしこの考え方は社会人類学者に応用され、進化した優れた社会集団と、進化しなかった原始的な社会集団という格差を生み出すものだとして批判を浴びました。その結果、人間社会については、進化論の立場から語ってはいけないという論調が強まったのです。

一方、当時京都大学にいた今西錦司先生はダーウィンの進化論に共鳴したものの、競争原理ではなく共存原理から、「生物社会学」という学問を作りました。人間も他の動物も同じところから進化してきたのだから、社会や文化といった人間独自と思われているものでさえ、動物にもその痕跡が認められるはずという考え方です。私も先生に倣って、北は青森県の下北から南は屋久島まで、ニ

▼チャールズ・ダーウィン→二四一頁註も参照
イギリスの自然科学者。一八〇九年生まれ。「生き残るのはもっとも強い者やもっとも賢い者でなく、変化できる者だ」とし、環境に適応するように進化した生物が子孫を残すことができるという進化論を確立した。著書に『種の起源』など。

▼今西錦司
生態学者。一九〇二年生まれ。カゲロウの研究を通して、生活様式のほぼ等しい異種の生物群が、生活空間や生活時間・時期を分け、競争を回避しているとする「棲みわけ理論」を提唱した。日本の霊長類学の創始者でもあり、京都大学霊長類研究所を立ち上げた人類学者としても知られるほか、ヒマラヤの探検家としても活躍した。一九九二年没。

ホンザルの生息域を渡り歩きました。その結果、サルだけではなく、サルが住む自然の美しさにも心奪われ、人間もそこから生まれてきたのだと感慨が湧きました。

日本の霊長類学者による研究は一九四八年に始まりましたが、当初対象にしていたのはニホンザルでした。しかしそれだけでは人間そのものには肉薄できません。そこで人間と系統的に近いとされていたゴリラを調査すれば、人間が普遍的にもつ家族などの社会構造の起源がわかるのではないかという発想から、一九五八年にゴリラ研究が始まったのです。

当時ゴリラは、いわくつきの研究対象でした。十九世紀半ば、アフリカ大陸でゴリラに出会った西洋の探検家たちにより、ゴリラが西洋社会に紹介されました。その際探検家たちはゴリラに対して▼凶悪なイメージを抱き、その印象が広まったため、危険な動物だというレッテルを貼られました。

私は一九七八年に、現在のコンゴ民主共和国で調査を始めました。当時、私よりも約十年以上前にゴリラの調査を始めた、▼ダイアン・フォッシーという有名なアメリカ人の女性研究者が隣国ルワンダで調査をしていました。ゴリラは見知らぬひとを見ると、警戒して攻撃してきたり、脅(おど)かしてきたりします。それを見て最初の探検家は獰猛(どうもう)な野獣だと思いこんだのです。ダイアンは、そうした先入観を覆し、ゴリラと仲良くなった最初の研究者でした。その後ルワンダへ渡った私は彼女と一緒に調査をしたことによって、ゴリラがじつは非常に

▼凶悪なイメージ
この凶悪なイメージから、ゴリラは映画『キングコング』のモデルにもなっている。

▼ダイアン・フォッシー
アメリカの霊長類学者。一九三三年生まれ。ゴリラ研究の大家として知られ、チンパンジー研究のジェーン・グドール、オランウータン研究のビルーテ・ガルディカスと並び、世界における著名な三大類人猿学者に数えられる。キャリア後半はゴリラの密猟、および野生生物の観光利用への反対運動に奔走するも、ルワンダで何者かに殺害され、非業の死を遂げた。自身の半生を綴った著書『霧のなかのゴリラ』は、シガニー・ウィーバー主演で映画化されている（邦題は『愛は霧のかなたに』）。

優しい動物だということを知りました。

　ゴリラは獰猛どころか、戦いを避けようとさえします。ゴリラの有名な動作として、胸を叩くドラミングがあります。最初に探検家がそれを見て、襲われると思って銃の引き金を引いてしまったそうです。しかしドラミングは決して宣戦布告ではなく、自己主張です。相手と自分が対等であるという主張であり、むしろ戦いを避けるための提案ともいえます。場合によっては戦いに発展することもありますが、しばしばメスのゴリラなどが興奮しているオスをなだめるという光景が見られます。実際の戦闘を避けるための仲裁役といえるでしょう。

　のちの研究でゴリラのドラミングと似た行動を、チンパンジーや人間もやることがわかりました。チンパンジーは、胸を叩く代わりに周辺を叩いたり、足を踏み鳴らしたりします。人間の場合は、歌舞伎の見得というポーズが当てはまります。歌舞伎の十八番の一つ、源義経と弁慶を題材にした『勧進帳』の一幕が特徴的です。山伏に変装している義経の正体を関所で見破られそうになったとき、家来の弁慶がそれをごまかそうとさまざまな機転を利かせるのですが、その際に現れるのが手と足を広げて大きく首を振り、睨みをきかせる見得のポーズです。

　チンパンジー、ゴリラ、人間というまったく別々の種が、それぞれのやり方でかっこよい自己主張のあり方を追求すると似た姿になってしまう。それを突き詰めて考えれば、社会の成り立ちがよく似ているともいえるということです。

ゴリラは「負けない」

私がとくに注目したのは、ゴリラは「負けない」ということです。負けるというポーズが存在しません。大人のオス同士がぶつかりそうになっているとします。そこに別の若いオスやメスが割り込んできて、ぶつかりそうになっている二頭のオスの軌道を修正するのです。この仲裁役がいることで、双方がメンツを保って引き分けられます。

ニホンザルの社会ではまた違います。ニホンザルは互いの強さを非常に意識して暮らしています。食べ物や場所を巡って対立が起こりそうになると、弱いほうが必ず先に退（しりぞ）きます。つまり、勝ち負けが先についてしまうのです。

勝つことと、負けないということは違います。勝とうとしたら、相手を屈服させなければなりません。押しのけられた側は自分が欲しかったものを奪われたのだから、恐怖や敵意が残ります。これでは仲間を失う危険があります。それとは逆に、ゴリラの「負けない」という姿勢は、相手と対等であるということがゴールなのです。

これに関連して発見したのは、覗き込み行動という行為です。顔をぐっと近づけて、正面から向かい合う。これはゴリラの挨拶です。ゴリラは、平静な顔でじっと顔を合わせます。私もゴリラにそうされました。ゴリラが私の顔を覗き込んできたとき、威嚇しているのだと思い込んで顔を背けたところ、ゴリラは視線を合わせようとまた覗き込んできました。

これはニホンザルでは決して起こりません。ニホンザルはやはり、自分と相手のどちらが強いかを常に見極めながら行動しています。見つめられたら見つめ返すというのは強者の特権だから、弱者は視線を避けるか、あるいは歯茎を見せて媚びるように笑いかけます。サルにとっては両方が平静な顔で見つめ合うということは起こらないのです。

ここでもやはりゴリラは、対等な関係をゴールにしています。双方が自己主張をし、メンツを保ったまま対等な関係を維持する。自己主張というのは難しいです。主張しないと無視されるし、主張しすぎると反感を買ってしまいます。ゴリラが当たり前にやっていることは、案外難しい社会技法です。

ゴリラがやっていることは、無意識に人間もやっています。みなさんも、今日だけでも何人ものひとたちと対面して会話をし、視線を交わしています。ただし人間はゴリラのように食い入るほど顔を近づけ合わず、大体一、二メートルほど距離を置いて対面しています。この理由は人間の目にあります。他の霊長類と人間の目が違う点は、白目があるところです。この白目のおかげで離れて対面すると目の微細な動きがわかり、相手の気持ちを読むことができるのです。これは親からも学校でも教わったことはないはずで、人間が生まれつきもっている能力といえます。人間は共感能力を高める必要がどこかであったのでしょう。

「人間が共感能力を高めた理由」

この共感能力を高める必要があったことが、人間とゴリラが異なる最たる点です。それには人間に特徴的な「共同保育」が大きく関わっています。

ゴリラは、大人になるとオスは二〇〇キロ、メスは一〇〇キロを超えますが、生まれた直後は一・六キロしかありません。お母さんは生後一年間赤ん坊を片時も離さず、三〜四年間はお乳を吸わせて育てます。一方、人間の赤ちゃんは大きく、体重は三キロを超えます。大きな体重で生まれてくるのに成長も遅く、自力でお母さんにつかまれないほど非力です。それにもかかわらず一〜二歳で乳離れしてしまいます。赤ちゃんの乳歯では固いものが食べられないので、作るのに手間のかかる離乳食を与えなければなりません。

この不思議な「離乳期」が生まれた背景には、霊長類のなかで、人間の祖先だけが熱帯雨林を出たという要因があります。逃げ場となる樹木が少なく、肉食獣による危険が常につきまとう草原は、生き残るのが難しい環境です。とくに幼児や乳児は逃れようがありません。

餌食（えじき）になる動物は、子だくさんです。たくさん子供を作る方法は二つあります。一度にたくさんの子供を産むか、出産間隔を縮めて毎年子供を産むか。人間の祖先もその課題に直面しましたが、一度にたくさんの子供は産めませんでした。だから出産間隔を縮めるために、赤ちゃんをお乳から早く引き離す必要がありました。お乳の産生を促すプロラクチンというホルモンは排卵を抑制するので、お乳が出る間は次の子供を妊娠できないからです。こうして乳離れが早くなり、▼人間にしかない不思議な「離乳期」というものが生まれました。

人間の場合、その後もうひとつ特徴的な時期があります。「思春期スパート」と呼ばれるもので、みなさんがそれにあたります。

人間は脳の成長が異様な速さで進みます。▼人間の赤ちゃんの脳は、ゴリラの赤ちゃんよりちょっと大きいぐらいです。その後一年間で二倍の大きさに脳が成長します。ゴリラの赤ちゃんは四歳までに二倍になるので、人間は四倍のスピードです。

そしてゴリラは四歳で脳の成長がストップしますが、人間は十二歳から十六歳ぐらいまで脳が成長し続けます。その結果、エネルギーの大半を脳の成長に回すことになります。そして十二歳から十六歳で脳の成長がストップすると、今度はエネルギーを身体の成長に回すことができ、急速に身体が成長します。人間のもうひとつの不思議な時期である、思春期スパートなのです。

思春期スパートでは、脳の成長に身体が追いつきます。繁殖力が身につき、さらに学習によって社会的能力を身につけなくてはならないという非常に重要な時期です。そして離乳期と並んで、死亡率が高い時期でもあります。それは、心身の成長のバランスが崩れて、事故や病気に遭いやすくなるからです。

離乳期や思春期スパートといった不安定な時期は、親だけでは子を支えられ

▼人間にしかない不思議な「離乳期」
同じ霊長類であっても、ゴリラは四年に一回、チンパンジーは五、六年に一回、オランウータンは九年に一回しか子供を産めないといわれている。

▼人間の赤ちゃんの脳
人類の赤ちゃんの脳の大きさがほかの類人猿とほとんど変わらない大きさなのは、直立二足歩行をするために骨盤が皿状に進化したことで産道が広げられなかったためといわれている。

ません。そのために共同保育という、人間に特徴的な行為が生まれました。人間の赤ちゃんは、共同保育をしてもらえるように生まれついています。母親から離れると、人間の赤ちゃんは泣きます。泣くのは面倒を見て欲しいという自己主張です。そして気持ちが良くなればにっこり笑います。その微笑み(ほほえみ)に、誰もがほだされて一生懸命世話をします。

こうして人間は、家族と複数の家族によって成り立つ共同体という二重構造の社会を築き始めました。このときに、人間は動物にはない社会性を芽生えさせたのだと思います。動物は自分の利益を上げるために、群れに参加します。一方人間は、自分の利益を後回しにしても、その集団に尽くしたいと思うものです。この社会性こそが、人間を人間たらしめるものなのです。

「人間の脳が大きくなった理由」

人間はゴリラの三倍大きい脳をもっています。人間の脳が大きくなった理由は何でしょう。

かつてよくいわれたのは、人間は言葉を使うようになって記憶するべき情報が増え、脳の容量を増やす必要があったのではないかということです。しかし調べてみると、どうも違うようでした。人類が現代人のような言葉を喋り始めたのはわずか七万年前。そして、人間がチンパンジーとの共通祖先から分かれ、独自の進化の道を歩み始めたのは七百万年前です。つまり進化の過程のうちほとんどの時期は言葉を使っていませんでした。言葉は脳を大きくした原因ではなくて、結果だったのです。では一体何が脳を大きくしたのでしょうか。

イギリス人のロビン・ダンバー▼という進化生物学者が面白いことを発見しました。ニホンザルやテナガザル、チンパンジーなどで脳の大きさの平均値をとってみると、それぞれの種が暮らす集団の規模が大きいほど、脳も大きくなることがわかりました。

そして今度は人類の化石から脳の大きさを推定し、当時の集団規模との関係を調べてみたのです。三百五十万年前は、脳の容量はゴリラと同程度の約四〇〇ccで、集団規模もゴリラと同じ十から二十人。そして、現代人の一四〇〇〜一六〇〇ccぐらいの脳の容量に匹敵するようになったのは、集団規模が百五十人になった約四十万年前だということがわかりました。文化人類学者によると、いまでも狩猟採集民が暮らしている平均的な集団サイズは百五十人といわれています。

人間の集団規模と比例して脳の容量が大きくなっていく間、脳に占める大脳新皮質の割合が増えていきました。大脳新皮質とは、合理的で分析的な思考や、言語機能をつかさどる大脳の部位のことです。やはり脳が大きくなってから、人間は言葉を話すようになったという順番なのです。

人類が進化のプロセスのなかで編み出してきた、集団規模に応じたコミュニ

▼ロビン・ダンバー
イギリスの人類学者、進化生物学者。一九四七年生まれ。一九九三年の研究で、人類にとって平均約百五十人が、「それぞれと安定した関係を維持できる個体数の認知的上限」と理論づけた。この数は、「ダンバー数」という尺度として知られ、人間の大脳新皮質が処理できる人数の限界でもあるとされている。著書に『ことばの起源』『友達の数は何人?』など。

ケーションは、現代でも残っています。たとえば、私が調べているゴリラと同じ十～十五人の規模は、現代でいえばスポーツの集団に匹敵します。ラグビーは十五人、サッカーは十一人。身振りや手振り、声などで即座に自分のやろうとしていることを伝え、相手はそれを瞬間的に受け取って適切に行動する。それがチームです。ゴリラも同様に、言葉を喋らずとも集団で一つの生き物のように動けます。これを身体の共鳴によって作られる集団、共鳴集団と呼びます。

次に三十～五十人というのは、人間の脳が大きくなり始めた集団規模です。みなさんが毎日経験している、学校の一クラスぐらいの規模感です。誰かが欠けたらすぐにわかり、全員が離散せずにまとまって動ける。顔と性格を認識しているからこそできる集団であって、これも言葉によって結びついた集団ではありません。

そして、われわれの脳の大きさに対応する百五十人という集団は、社会関係資本（ソーシャル・キャピタル）▼の適正規模です。社会関係資本を簡単に説明すると、自分がトラブルなどに陥ったときに相談できる相手の数の上限です。毎年年賀状を書くときに思い浮かぶ人数も、それぐらいではないでしょうか。それは顔を認識している仲間です。

その百五十人以上と付き合うために、身体以外の指標、つまり言葉が必要になっていったのです。顔を合わせれば互いのことがわかる集団があり、その外側には言葉によってつながる膨大な数の人びとがいる。そういう世界にわれわ

▼社会関係資本
社会関係資本は十九世紀から複数の提唱者があり、社会学・経営学・政治学など複数の分野で用いられる多義的な概念である。広義には社会・地域において人びとが相互に信頼関係で結びつくことを表す。ここでは、進化人類学者のロビン・ダンバーが提唱した「それぞれと安定した関係を維持できる個体数の認知的上限」である百五十人を、社会関係資本に適した規模とみなしている。

れは生きています。

「私たちは言葉に頼りすぎている」

熱帯雨林を出たことによって仲間を増やす必要性が生まれ、出産頻度が上がり、集団規模も大きくなった。そして脳が大きくなり、言葉が生まれた。人類の進化を大まかに振り返るとこういうことになります。

言葉が生まれたのは人間が社会を築き始めてから大きく時間が経った、七万年前のことです。言葉はすごいです。重さがなくどこにでも持ち運び可能です。見たことがないものや、体験していない過去のことも、それを体験した仲間の言葉によって、あたかも自分が体験したように感じられる。世界に名前をつけて分類することができる。違うものを一緒にしたり、同じものを分けたりすることができる。言葉を組み合わせて物語を作り、共有できる。現実にはないものを捉え、想像し、描く能力を言葉がもたらしてくれたのです。

言葉が現れて以降、通信情報革命はどんどん加速しています。百五十年前に電話が現れ、四十年前にインターネットが普及しました。いまはSNSが当たり前の時代です。科学技術は進歩しましたが、人間の体と心はそれについていけているのでしょうか。

通信情報技術の発達によって、リアルな世界よりバーチャルな世界で過ごす時間が増えました。スマホのナビで目的地を入れれば進むべき道を提示してくれて、その通りに行けば確かに目的地に着きます。しかしリアルな世界というのは、犬が走ってきたり、車が突然脇をかすめたり、鳥が飛んできて糞をしたり、予想外の出来事が降りかかってきます。それに直感で対処しなくてはいけないのです。スマホに頼りすぎていると、リアルな世界で生きるための社会技法、共感力を学ぶ暇がありません。それは目と目を合わせたり、実際に身体を共鳴させたりすることによって得られるものだからです。

経営の神様とも呼ばれた松下幸之助▼さんは、新入社員の面接で将来リーダーになれると思える若者の素質が三つあるといっていました。一つは運が良さそうに見えること。もう一つは愛嬌があること。そして最後は後ろ姿で語れること。どれも言葉ではなく構えです。つまり自分をいくら言葉で説明しても、ひとから見られているのは構えや雰囲気であるということです。これは私が長年ゴリラを研究し続けてたどりついた答えとなぜか非常に一致します。

いま、われわれは言葉に頼りすぎています。しかし進化の過程を遡れば、人間は生身の身体の共鳴を大事にする社会を作ってきたのです。いまこそ、言葉に過度に頼らずに行動を重要視するべきだと思います。

「できる」という直感は、案外信頼に値するものです。好奇心をもつからこそ、人間は進歩できます。だから好奇心を信じて自分にしかできない行動に取り組んでみてください。

▼松下幸之助
一八九四年生まれ。日本の戦前、戦後を代表する経営者。パナソニックホールディングス（旧松下電気器具製作所、松下電器製作所、松下電器産業）を一代で築き上げた。小学校を中退し、自転車店へ丁稚奉公。その後電球ソケットを考案。立ち上げた会社で二股ソケットがヒットする。現在のように壁にコンセントがない時代、これにより電灯用ソケットしかなかった家庭でアイロンなどの電化製品を電灯と同時に使うことができるようになった。水道のように安く、消費者に製品を大量供給することを目指す水道哲学を掲げて経営した。

Q&A

――ゴリラの言葉と人間の言葉はどのように違うのでしょうか？

人間の言葉においては、発されている音声と、その言葉が意味するもの自体は、直接つながっているわけではありません。「草」という単語と実際の草の両者は、人間の間でなんとなく共有されている「草」という単語の意味を通してつなぎとめられているだけです。同じ「草」を表す単語も英語では「glass」になり、音と意味の結びつきも非常に恣意的です。「くさ」という音声を発したときには、自分の気持ちがそこに含まれるわけではありません。

ゴリラの挨拶（あいさつ）では、顔を合わせるだけではなく重低音で「グフーム」という音声を出します。そうすれば茂みのなかに隠れているときでも、挨拶をしてくれていることがわかります。こちらもお返しに「グフーム」と返すと近づくことを許してくれるのです。そして近づいてほしくないときは、「カハッカハッ」と咳払いのような音を出してきます。ゴリラの言葉ではこのように、言葉自体に意味はなくても、音声そのものに気持ちがこもっているのです。

わたしの思い出の授業、思い出の先生

Q1：思い出の授業を教えてください
Q2：その授業が記憶に残っている理由はなんですか?
Q3：その授業は人生を変えましたか?

私が京都大学理学研究科の大学院の自然人類学研究室に入ってから、毎週金曜日には一日をかけて午前中は教授か助教授か助手による特論、午後には院生によるゼミが行われた。私の指導教員であった伊谷純一郎先生の特論は、講義というより人類進化に関する自分の理論を組み立てる場であった。当時（1970年代中ごろ）は平等社会の進化に取り組んでおられ、ジャン＝ジャック・ルソーの『人間不平等起源論』を霊長類の進化から塗り替えようとしておられた。ひっきりなしに愛用のショート・ホープを吸いながら持論を展開し、院生たちは生意気にも勝手な意見を述べる。その師弟の域を超えた激論に私は感銘を受け、早く自分のフィールドをもち、そこから意見を述べるようになりたいと思ったものである。他人や本の受け売りをせず、自分の体験から理論を作るのがこの研究室のモットーであり、それはその後ゴリラを背後霊として世界を語る私の姿勢となった。

わたしの仕事をもっと知るための3冊

ダイアン・フォッシー『霧のなかのゴリラ——マウンテンゴリラとの13年』（羽田節子・山下恵子訳、早川書房、のちに平凡社ライブラリー）
伊谷純一郎『ゴリラとピグミーの森』（岩波新書）
山極壽一『家族進化論』（東京大学出版会）

桐光学園大学訪問授業
高校生と考える　21世紀の突破口

二〇二三年四月三十日　第一刷発行

編者　桐光学園中学校・高等学校
〒二一五―八五五五　神奈川県川崎市麻生区栗木三―一二―一
TEL：〇四四―九八七―〇五一九（代表）
http://www.toko.ed.jp

発行所　株式会社左右社
〒一五一―〇〇五一　東京都渋谷区千駄ヶ谷三―五五―一二
TEL：〇三―五七八六―六〇三〇　FAX：〇三―五七八六―六〇三二
https://www.sayusha.com

装幀　松田行正＋倉橋弘
印刷　創栄図書印刷株式会社

ISBN978-4-86528-365-5

高校生と考える 21世紀の論点

阿部公彦、伊藤亜紗、井上寿一、植本一子、大崎麻子、大澤聡、樺山紘一、貴戸理恵、島田雅彦、島内裕子、竹信三恵子、多和田葉子、土井善晴、富永京子、中谷礼仁、仲野徹、野崎歓、長谷川逸子、波戸岡景太、羽生善治、早野龍五、古川日出男、穂村弘、前田司郎、丸山宗利、三中信宏、三輪眞弘、やなぎみわ、山本貴光、若松英輔

桐光学園大学訪問授業 本体1800円

高校生と考える 日本の論点 2020-2030

会田誠、青栁貴史、赤坂真理、入江昭、温又柔、沢木耕太郎、菅野聡美、岸政彦、郡司ペギオ幸夫、島内景二、鈴木一誌、巽孝之、出口治明、夏井いつき、西田亮介、沼野恭子、藤谷治、本郷和人、水無田気流、吉川浩満、渡辺一史

桐光学園大学訪問授業 本体1800円

高校生と考える 新時代の争点21

阿部和重、安藤礼二、伊勢崎賢治、伊藤比呂美、岩田健太郎、江原由美子、大友良英、桂英史、木下直之、木村大治、鴻巣友季子、小谷真理、清水克行、武田砂鉄、中条省平、平倉圭、廣瀬純、藤原辰史、永田和宏、松永美穂、村木厚子

桐光学園大学訪問授業 本体1800円